すべての「見える化」で会社は変わる

可視化経営システムづくりのステップ

Visibility Management System

長尾一洋 NIコンサルティング代表取締役
◉Kazuhiro Nagao

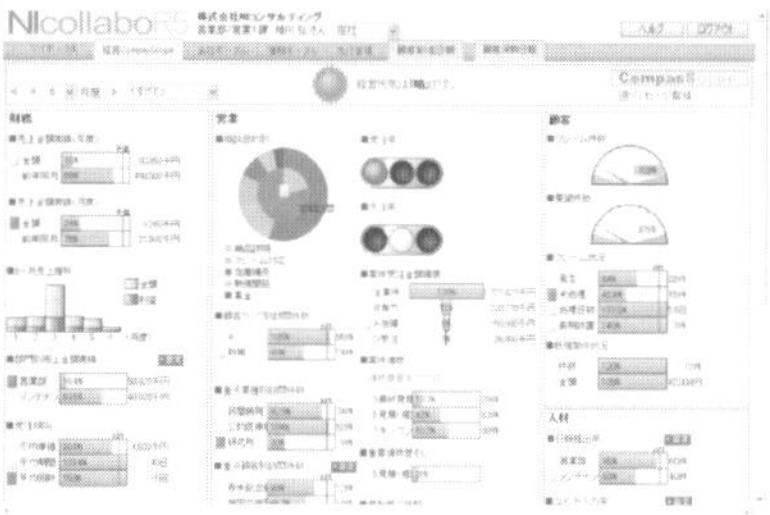

実務教育出版

はじめに

飛行機の操縦席（コクピット）に入ったことのない方でも、その様子はよくご存じでしょう。たくさんの計器類が並び、パイロットはそれらの計器から、速度や高度、燃料の残量など、多くのデータを読み取って飛行状況を把握し、的確な意思決定をしています。

私は飛行機を操縦したことはないので詳しくは知りませんが、どんなに飛行機の操縦がむずかしく複雑なものであっても、企業の経営ほどではないでしょう。企業には多くの部署があり、それぞれ社員がいて個別に動いています。社外の取引先や顧客とのやり取りもあります。それらの活動が複雑に絡み合い、影響し合って、企業は動いています。

であれば、経営者が企業を安全に〝操縦〟するためには、飛行航路やその状況を正しく把握し、現状の飛行情報を、タイムリーにパッと目で確認できるようなコクピットを持たなければなりません。

しかし現状では、ほとんどの経営者や管理者は、こうした経営のコクピットを持っておらず、情報をタイムリーに把握できていません。たまたま自分が目にした一部の情報であったり、過去の経験からくる推論であったり、3ヵ月前や先月といった古いデータを元にして状況を判断し、部下に対して指示を与えています。

これでは、飛行機を操縦するのに計器も見ず、データもチェックせずに、肉眼で見える景色だけを見て、経験とカンで飛んでいるようなものです。昼間に小型機を飛ばすくらいならできるかもしれませんが、大型機は操縦できないでしょうし、夜間や長距離の操縦もまず無理です。

私はこれまで20年ほど経営コンサルタントとして活動してきましたが、バブル景気の浮かれた状態から、バブルが弾け担保にしていた土地の価格が下がって二進《にっち》も三進《さっち》もいかなくなった窮状まで、およそ2000社のさまざまな経営実態を見てきました。

残念ながら多くの会社では、過去のデータを集めて後ろを振り返りながら、どこに行くべきかという目的地もよくわからずに、日々前進しようとしています。そのような危なっかしい経営では、これまではともかく、これからの厳しいビジネス環境は乗り切れないでしょう。

経営者や幹部の方も、そのことはよくおわかりではないかと思います。2005年頃までは、会社の経営が大変でも、経営者や幹部の皆さんは、「こうすればよい」、「こういう手を打てば大丈夫」という自信をお持ちでした。ところが最近は、業績がよい会社でも「いまはよいけど、将来はわからない」という不安を感じるようになっています。業績が悪ければ、「まったく先が見えない。お先真っ暗」という暗澹《あんたん》たる思いなのです。

いまやるべきことは、経験とカンで飛行機を飛ばすような危なっかしい経営からの脱却です。目的地を全社員で共有し、前方の視界を確保したうえで、現在位置をリアルタイムで把握して、どう進むべきかを意思決定していける経営にシフトしなければなりません。

そのためには、社内外にセンサーやレーダー、それらをつなぐ神経網を整備することで経営コクピットを稼動させ、全社員が自社の実体を見ることができる仕組みをつくりあげることです。

ＩＴ技術の進歩と低価格化によって、こうしたシステムは中小企業でも簡単に実現できるようになりました。そして、経営の実体が目に見えることで、経営者から現場の社員までがいろいろなことに気付き、さらにそこから行動を始め、さまざまな変化が生まれることを、私はいくつもの会社で見てきました。

本書では、経営のあらゆる階層の「見える化」を進める経営改革について具体的な方法論を解説しますが、その考え方は拙著『可視化経営』（２００６年10月・中央経済社刊）で最初に提唱したものです。その効用（メリット）は多岐にわたりますが、主なものを挙げると次のようになります。

(1) ビジョンや戦略が身近になり、社員のモチベーションがアップする
(2) 会社に共感する若い人が増え、採用活動にとってプラスになる
(3) 社内で統一した問題意識を醸成することができる
(4) 長期・中期・短期の取り組みに一貫性が生まれる
(5) クレームやトラブルなど、想定外の情報を即座につかむことができる
(6) 内部統制、コンプライアンスが徹底できる
(7) 事前に必要な手を打てる先行管理にシフトできる

(8) 社員に対する公正公平な評価が可能になる
(9) 社員が経営者の目線、意識を持って仕事に取り組めるようになる
(10) 社員同士、部門間のコラボレーションが促進される
(11) 業務の進め方や仕事のノウハウなどのナレッジを蓄積できる
(12) 社員の思考力を日々訓練していくことができる

時代が大きく変化し、過去の経験則が通用しなくなったいま、本書の考えを多くの方に理解していただき、企業改革、経営革新の一助にしていただくことを心より願っています。

２００８年１月

長尾一洋

すべての「見える化」で会社は変わる　目次

Part 2

戦略、マネジメント、現場の「見える化」が多くのメリットをもたらす

Part 3

社員や顧客が共感共鳴できる戦略のマップをつくる

Part 4

現状をつかみ、問題を浮き彫りにするマネジメントの仕組み

Part 5

現場の情報を吸い上げるモニタリングの仕組みづくり

Part 6

「顧客の可視化」で営業現場は活性化する

Part 7

「頭の中の可視化」が社員を成長させ、会社を強くする

Part 8 可視化経営を実現する組織条件

Part1

いまなぜ、「見える化」を進める経営改革が必要なのか

御社の経営の進め方は、社員にもはっきり見えているでしょうか？

経営状況や現場の動きは常に把握できているでしょうか？

「目に見えていれば手が打てたのに……」と、手遅れになってから気付いたことはないでしょうか？

企業の不祥事が頻発し、「知らなかった」、「現場が勝手にやったこと」などと釈明した社長がバッシングを受けることも少なくありません。御社は大丈夫でしょうか？

5年後、10年後の将来像が見えないのに、とにかく「頑張れ」、「しっかりやれ」と現場の尻を叩くだけになっていないでしょうか？

厳しい経営環境にあり、時代の変化が大きい今日、経営において見えないものや見づらいものをはっきり見えるようにする〝視覚〟の強化が求められています。

本章ではその背景と、戦略、マネジメント、現場の「見える化」をどのように進めていくか、経営改革のアウトラインを解説していきます。

1
「現場の状況がわからない」では、すまされない時代に

過去の成功体験が忘れられない40代以上の経営者、管理者

日本の経済は戦後からバブル崩壊までは概ね一本調子の成長期でしたし、人口も2004年まではずっと増加してきました。したがって、大局的にみれば同じトレンド上で時代は進み、過去の経験がそのまま活かされることも多かったのです。

企業においても、経営者や管理者が自分の過去の経験に基づいて指示を出せば、そう大きく間違えることはなかったのです。

しかしもはや人口減少トレンドに入っていて、過去の経験がそのままでは通用しにくくなっています。実際には、1985年のプラザ合意以降、外需から内需へのシフトを強制され、戦後の成長軌道はそこで途切れたといっても過言ではないでしょう。

バブル崩壊は、単に浮かれ過ぎたから起こったのではなく、行き過ぎた内需シフトを止める調整局面の始まりだったわけです。その調整に時間がかかり過ぎ、ようやく高くなり過ぎた円が安くなってきたところで、人口の減少が始まりました。

その間、グローバル化が進んで、中国やインドを筆頭に新興国にどんどん世界市場を奪われてしまっています。外には高くてよいものしか売れなくなり、内では人口減少でマーケットは縮小に向かいました。

１９８５年からのおよそ20年で企業環境は大きくシフトし、過去の勝ちパターン、成功法則は通用しなくなりました。

ところが、多くの企業の経営者や管理者は40代以上がほとんどですから、人口増、マーケット拡大、最後はバブル景気まで経験しています。つまり、「給料は毎年上がって当たり前、賞与も毎回増えて当たり前」という体験をしてきた世代が企業を動かしています。

しかし今日、その人たちが「俺の若い頃はなぁ～」と語り出す体験談は、すべてとはいいませんが、すでに通用しなくなっているかもしれないのです。

かくいう私も40代で、バブル景気も経験していますので、当時の成功体験からついつい社員たちに、「私が君たちくらいの年のときには、○○したものだ」などと説教じみたことを言ってしまいます。

40代でもこうですから、50代、60代の経営者となると推して知るべしではないでしょうか。

昔のことを知っているベテランだから現状との比較考察ができる

２５００年前の兵法家、孫子の兵法に、「軍《ぐん》の以《もっ》て進む可《べ》からざるを知らずして、之に進めと謂《い》い、軍の以て退《しりぞ》く可からざるを知らずして、之に退けと謂う。是を軍を繋《つな》ぐと謂う」という言葉があります。

「自分の配下の軍隊が前進してはいけない状態にあるのを知らずに、前進せよと命令したり、後退してはいけない状態にあるのを知らずに、退却せよと指示をするような指揮官は、自分の部下を鎖でグルグル巻きにして邪魔しているようなものだ」という意味で、現場の実情を踏まえずに勝手な指示や命令を出すリーダーを諌めた一節です。

どんなに優れたリーダーであっても、過去にどんなに成功体験を積んできた人であっても、いま現在の現場の実情を知らずして適切な指示は出せないでしょう。

リーダーが持つ優れた判断力や思考力、過去の経験知に価値がないのではなく、そうした力や知恵を活かすためにも、現時点の現場の情報をタイムリーにつかまなければならないのです。

現状をつかむ努力もせず、「自分はかつてこのやり方で成功したのだから、部下もそのとおりにやればよい」と考えるのはあまりにも傲慢な考え方であり、時代の変化に適応することはむずかしいでしょう。

明らかに時代は変わっているわけですから、客観的に現実の状況を把握し、それを過去の経験に照らして、より正しい判断をすべきなのです。

そうすれば、違う環境での経験があることによって、「いまの現状はこうなっているけれども、過去の状況とは違っている。その違いは○○からきているようだから、次の手はこうするべきだ」といった考察が可能になるわけです。

こうした考察は過去を経験していない若い人にはできません。現状は知っているけれども過去を知らないわけですから、どうしても思考が浅くなってしまいます。ここにベテランの存在価値があります。

そのベテランの頭が固くて、過去の経験知から離れられず、いまの現実を真摯に見つめようとしないとすると、それは孫子の言う「軍を繋ぐ」＝部下を鎖でグルグル巻きにする人であって、組織の害悪にしかならないのです。

これまでの経験則が通じない時代に向けた経営の備えを

いま経営の改革が必要とされるのは、これまでに見てきたように、先が見えない、過去の経験則が通じない不透明な時代に突入していかなければならないからです。

長期にわたる人口減少も、地球温暖化などの環境問題も、これまで誰も経験したことがありませんし、どうすればよいのか明確な答えが用意されているわけでもありません。

実際には大した問題ではなく、人口が減ることで日本がよりよい国になるのかもしれませんし、科学の進歩と人類の努力によって地球温暖化の問題がクリアされるかもしれません。しかし、想定外の変化や悪影響が生じて、いまのままの経営のやり方や人間の暮らし方では通用しないかもしれません。要するに先が見えないわけです。

先が見えないのであれば、それを見るための目と、場合によってはそれを補助する道具を用意しなければなりません。見えないままの状態で「なるようになるさ」と前進していくわけにはいきません。

個人の人生なら、失敗しても自分だけのことですから、そういう気楽な生き方もよいでしょう。しかし企業経営となると、そういうわけにもいきません。社員や取引先、株主や顧客など、多くのステークホルダーがいて、その人たちの生活もあり、また企業としての社会的責任も果たさなければなりません。

見えなければ見えないなりに、データに基づいて先を予測しなければならないでしょうし、見えるようにするためにレーダーを装備しなければならないかもしれません。

そうした備えをするための経営改革が、いま求められているのです。

2 社員の自発性を促すナビゲーション・システムづくりを

企業経営における〝視覚〟を強化する

「見る」ということは、情報をつかむうえで非常に重要な行動です。目をつぶってちょっと歩いてみていただければわかるように、周りが見えないのは非常に怖いものです。

人間の五感でつかむ情報量の多くは視覚からのものです。それは全体の8割くらいという説もあれば、6割くらいだという説もありますが、いずれにせよ五感の大半を視覚が占めているのは間違いないのでしょう。少なくとも一瞬に読み取る情報量が多いということはいえると思います。

昔から「百聞は一見にしかず」ということわざがありますが、口であれこれ説明されてもわかりにくいものも、パッと見せられるとすぐに理解できることは、どなたも経験されているでしょう。他にも「目が高い」、「目利き」、「目が肥える」といった表現もあります。物事を判断したりするときには「目」が登場するわけです。

もっと微妙な段階では、「鼻が利く」、「何か匂う」といった表現で嗅覚が出てきますが、最終判断は目です。また、見たことは忘れにくいという学説もあるそうです。

つかんだ情報を目に見えるようにして視覚に訴えるというのは、先が見えない時代だからこそ重要なことでしょう。企業経営における〝視覚〟を強化するということは、見えないものや見づらいものを、はっきり見えるようにすることです。

企業経営において見えないもの、見づらいものは、現場の状況や刻々と変化するデータだけではありません。なかでも、今後の経営にとってもっとも重要なものは、社員の頭の中にある知恵や情報です。

頭を使う仕事だけが国内に残る時代に

日本の経済を支えているのは製造業であり、モノ作りが原点であるという指摘がまったく的外れとは思いませんし、製造業の強さが日本経済を牽引していることは間違いないでしょう。しかし、人びとの仕事の重心が肉体労働から知識労働へとシフトしていることは、誰もが認めるところでしょう。

製造業においても、付加価値の源泉は人間の頭の中へとシフトしています。実際に加工したり組み立てたりする工場は海外へ移転し、国内工場の現場では派遣労働者や請負業者が作業をしています。付加価値の源泉は、製品企画や設計、生産計画、品質管理、プロモーション、ブランド構築、営業活動など、頭の中で行う仕事へとシフトしています。

なかには自社ではまったく生産はせず、アウトソーシングで製品を生み出している企業もあって、それも特に珍しい存在ではなくなっています。アウトソーシング先も国内だけでなく、中国やベトナム、インドなどグローバル化が進んでいます。

これまでは、東南アジアなどに進出しようと思えば自社が海外に出て行かなければなりませんでしたが、いまやインドあたりの企業は、仕事を取りに日本へ営業にやってきます。

私の会社（ＮＩコンサルティング）でも、ソフトウェアの開発をしている関係で、インドのＩＴ企業とのお付き合いがありますが、インド人の営業マンが日本語ペラペラで営業に来てくれます。

私の会社にとっては、どんなソフトを作るかが重要なのであって、それを作ること自体はインド企業に頼めばよいのです。

私の会社のような小さな会社でもこうした状況ですから、これからは手足を動かす仕事はどんどん海外へシフトし、頭を使う仕事だけが国内に残っていくことになるでしょう。

逆に言えば、頭を使う部分で付加価値を生み出せない企業は、どんなに朝早くから夜遅くまで頑張って働いても、インドや中国のように人件費が安くてたくさんの人材がいる国には勝てないということになります。

社員の自発的な思考や行動を促す仕組みを

頭の中の知恵や情報が重要だといっても、問題は、その重要なものが外から見えないということです。何を考えて、何をしようとしているのかをつかまなければ、思考のレベルを上げていくことはできません。

これを工場に置き換えれば、実際の工場を見ず、どんな機械があって、どんなラインになっているのかも知らない状態で、工場の改善をやれと言われているようなものです。手がかりは製造されて出てきた製品だけです。アウトプットだけを見て工程を改善するのは無理ですね。

おまけに頭の中は心で動いていますから、強制ができません。フル回転しているのか、サボっているのか見えませんから罰も与えられません。

そこで、単に作業を与えるのではなく、経営全体を知ってもらい、自らに与えられた役割や期待値を理解してもらったうえで、自分の仕事をセルフコントロールしてもらわなければなりません。そのために、社員の自発的な思考を促し、知恵を引き出すような経営の仕組みに改める必要があるのです。

会社の目標地点・方向を示す地図を用意する

社員の自発的な思考を促し、知恵を引き出すためには、まず第一に会社がめざすべき方向や地点を示す地図が必要になります。

孫子は、これを「軍政《ぐんせい》に曰《いわ》く、言うも相聞《あいきこ》えず、故《ゆえ》に金鼓《きんこ》を為《つく》る。視《しめ》すも相見《あいみ》えず、故に旌《せい》旗《き》を為る。是《こ》の故に昼戦《ちゅうせん》に旌旗多く、夜戦《やせん》に金鼓多し。夫《そ》れ、金鼓・旌旗は人の耳目《じもく》を一にする所以《ゆえん》なり。人既《すで》に専一《せんいつ》なれば、則《すなわ》ち勇者《ゆうしゃ》も独《ひと》り進むことを得ず、怯者《きょうしゃ》も独り退くことを得ず。此《こ》れ衆《しゅう》を用《もち》うるの法なり」と説きました。

組織を動かす時には、言っても聞こえないし、指し示しても見えないから、鉦や太鼓などの音が鳴るものと旗や幟などの目印を用意する必要があるといい、それはなぜかというと、全員の意識をひとつにして、脱落者を出さないためであるという意味です。

これを現代風に考えると、地図を描いて組織が進むべき方向、目標地点を全員にわからせることだといえます。

社員が工場で決められた作業をコツコツやってくれればよかった時代には、わざわざ地図を用意する必要はありませんでした。指示命令だけをしていればよかったのです。しかし、これからは全社員が付加価値の源泉である工場のような存在にならなければならないので、経営者や幹部だけが自社の進むべき道を理解しているのではなく、全社員に伝えて共有することが必要になってきたのです。

どこに行こうとしているのかも知らせずに、ただ「自分で考えてやれ」と言っても何もできません。「どこへ行くのか」、「それはなぜか」、「そこへ行くとどんなよいことが待っているのか」、「そこへ行くために何をしようとしているのか」といった情報をあらかじめ社員全員が共有しておく必要があるのです。

目標に向かう道筋を決め、距離を示す

地図が描けたら、次にその目標地点に到達するまでの道筋を決め、その距離を明示してあげる必要があります。距離の示し方も、ある人はメートルで、ある人はヤードで示したら、組織

として整合性のある動きができません。

地図を描き、道筋を決めても、思うように進むとは限りません。むしろ、過去の経験則が通じない時代に突入しているわけですから、当初の想定を外れることのほうが多いでしょう。決めた道を行き止まりまで突き進んで、そこでようやくこの道ではなかったと気付くのではなく、先読み、先読みをしながら、その予測に基づいて進むべき道を修正していく仕組みが必要です。

こうした軌道修正を随時行っていくためにも、あらかじめ道筋を決め、目標地点に到達するまでのストーリーを明らかにしておく必要があります。

いまどこにいるか、現在位置を明示する

地図があり、進むべき道がわかっていても、現在どこまで進んで来たのか、現在位置がわからなければ、軌道修正やペース修正ができません

これは、車の運転をサポートするカーナビゲーション・システムを考えていただければわかりやすいでしょう。

カーナビも、地図がモニターに表示されているだけでは意味がありません。地図があって、目的地をセットすると道順が設定されますね。高速道路を通るか、一般道を通るかなどが選択できたりもします。

道順が決まったところで、車の現在位置が表示されます。これによって、「あともう少しで

右に曲がるな」、「この先を左だな」と判断ができるわけです。①地図があって、②目的地までの道順が決まって、③現在位置がわかる。これがナビゲーションの基本です。

カーナビでは、決まった道順から外れてしまった場合、その車の現在位置から割り出して新しい道順が提示されますね。現在位置を正確に把握してこそ、そういうナビゲーションが可能なわけです（ちなみに私のカーナビは安物だからか、よく自分の車の位置を見失い、山の中に突っ込んでいったり、海の中を走ったりしていますが……）。

地図を用意して、道順を決めても、いまどこにいるのかがわからなければ意思決定ができないのです。

程度の差はあるでしょうが、地図をつくったり、進むべき道筋を決めたりといったことは多くの企業が取り組んでいます。しかし、自社の現在位置を把握することには、意外に無頓着です。ですから、行き止まりの道を突き当りまで行ったところで、失敗だと気づくようなことになるのです。

たとえば会議で前月の反省をしているような会社ですね。これではダメです。過去データと現在位置は全然違います。先月いた位置と今月の位置は違うのです。こうした会社は、バックミラーに映る過ぎ去った風景を見ながら車を運転しているようなものです。

カーナビが車の現在位置を見失うと役に立たなくなるように、経営でも現場の把握がきちんとできないと、うまくナビゲーションできなくなってしまうのです。

ナビゲーション・システムの３層構造

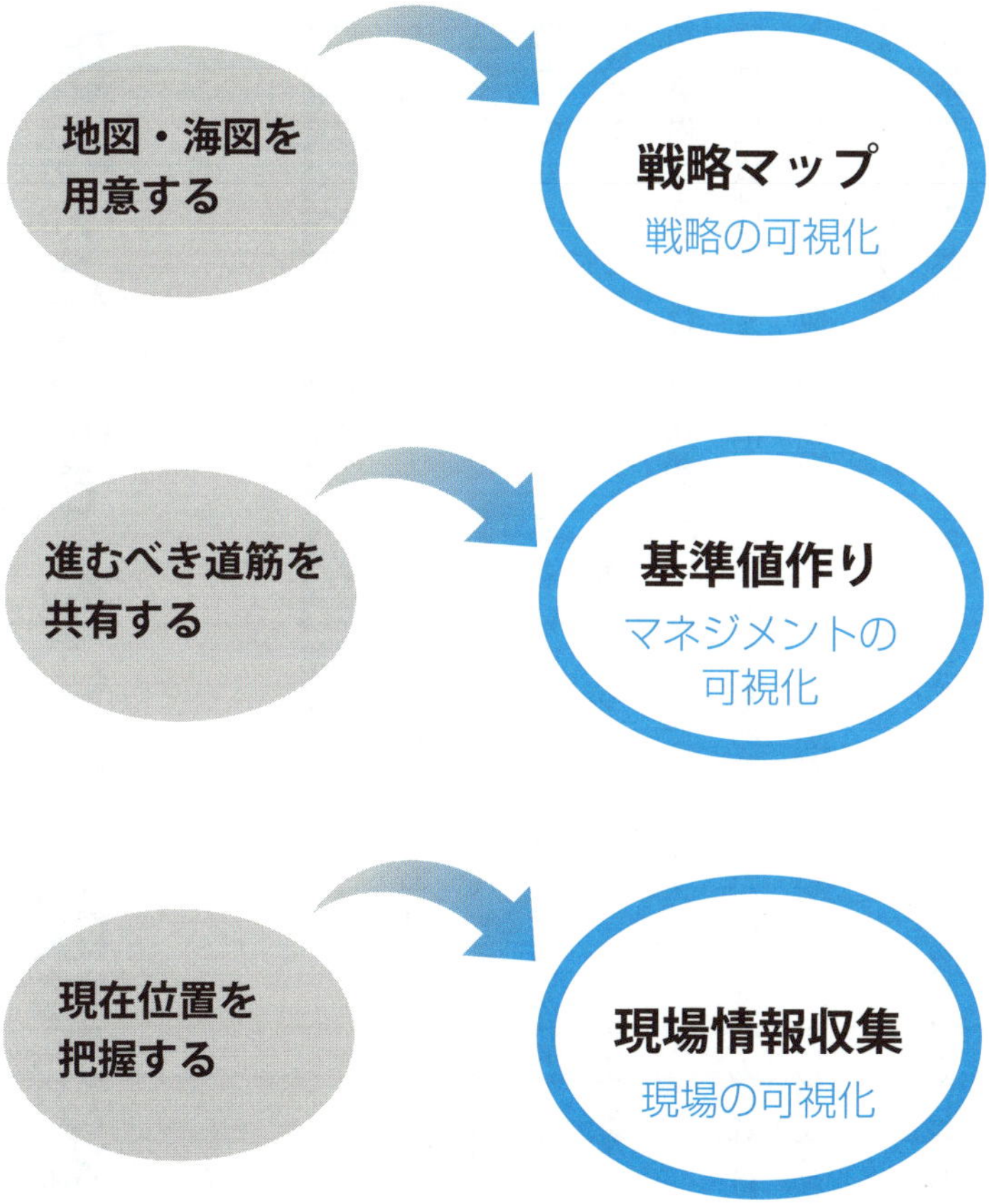

単に足許が見えるだけでは
前に進んでいくことはできない！

3

戦略はあくまで仮説。それを現場で検証することで改善が進む

マーケット縮小期は他社に勝たなければ成長できない

次ページの図をご覧ください。マーケットが拡大している時代は、同業他社との競争に負けなければ、マーケットの拡大ペースに合わせて自社も成長していくことが可能でした。

何とか後追いでも、他社の真似をしてでもいいから引き分けに持ち込む。するとマーケット拡大と共に成長できる。このメカニズムが戦後から続く成長期に日本企業が身につけた横並び戦略であり、業界によっては「護送船団」と呼ばれた方式です。

もちろん他社に負けてしまって消えていく会社もありましたが、多くの会社は他社の後追いくらいはできたわけです。他社が成功しているお手本があるわけですから、それを真似て自社でもやってみるのは簡単なことです。

あとは、朝から晩まで頑張って働く。それでもダメなら多少値段を安くしてあげる。そうしている間にどんどん人口が増え、経済成長していくなかでマーケットが広がっていきますから、それに乗じて値上げしていけば、なんとか挽回もできたのです。シェアさえ確保しておけ

マーケット拡大期と縮小期の成長条件

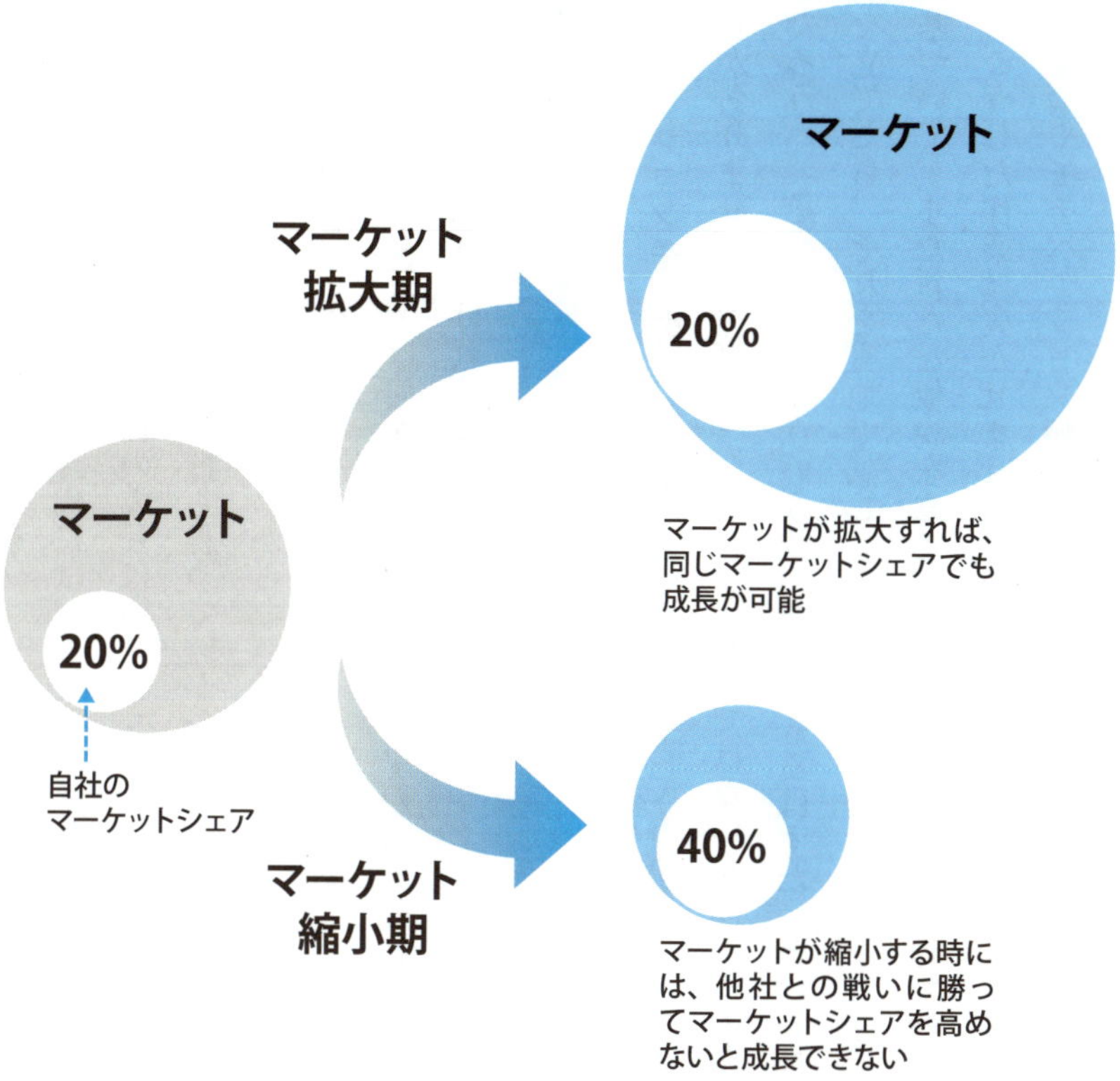
マーケット
20%
自社の
マーケットシェア
マーケット
拡大期
マーケット
20%
マーケットが拡大すれば、
同じマーケットシェアでも
成長が可能
マーケット
縮小期
40%
マーケットが縮小する時には、他社との戦いに勝ってマーケットシェアを高めないと成長できない

マーケット拡大期には、後追いすれば成長できるが、縮小期には、勝たなければ成長できない。

勝つためには、他社がやっていないことにチャレンジしなければならない！

ば、必ず利益が確保できる、という仕組みです。

しかし、マーケットが縮小する時代には、他社と引き分けの横並びでは共倒れになってしまいます。他社に勝たなければ自社の成長はありません。こうなると、他社がやっていないことを自社オリジナルでやって競争に打ち勝っていかなければなりませんが、手本もなければ正解もわかりません。やってみなければわからない部分が多分にあるわけです。

ですから、何かに取り組んでみたら、状況をしっかり確認し、モニタリングして、その次の手を素早く打つ。手を打てば何かしら変化が起きますから、それもまたよく確認する。日々こうしたことを繰り返さなければなりません。

経営戦略の立てっ放しになっていないか

将来へのビジョンや戦略を具体的に示すことはとても重要ですが、それは、あくまで〝仮説〟でしかありません。「将来このようになるのではないか」、「そのためにはこういう手を打つべきだろう」、「そうすればこういう戦い方ができるはずだ」というストーリーです。

仮説を立てたら、それを実地で試して検証していかなければなりません。そして、その検証結果に基づいて、また新たな仮説を立て、そしてそれをまた実地で検証する。戦略が仮説である以上、こうした作業は欠かせません。しかし実際には、戦略を立てたら立てっ放し、あとは現場の精神論やモチベーション頼みとなっている会社が多いのではないでしょうか。

「戦略を立てることよりも社員教育のほうが大事」と訴えるコンサルタントもいるくらいで

すから、経営者が誤解するのも仕方ないのかもしれませんが、戦略から落とし込まれた活動を行うための社員教育でなければなりません。

社員のモチベーションが高くなれば業績も上がるというのは、右肩上がりの横並び戦略でよかった古い時代の考え方であり、あまりに経営者、経営幹部の責任や役割を無視した暴論です。

仮説→検証のスパイラルで継続的に改善を行う

戦略と現場の活動は連動していなければなりません。そこをつなぐのがマネジメントであり、「マネジメントとは、仮説→検証の繰り返しである」と言っても過言ではないでしょう。

その仮説→検証の繰り返し頻度は、1年に1回よりも半年に1回のほうが、半年に1回よりも月に1回のほうが、月に1回よりも週に1回のほうが、さらに毎日のほうが、より高い仮説検証精度を実現することは当然のことです。

仮説を検証するためには、現場で実践した実地データを収集し分析する必要がありますから、仮説→検証のスパイラルを高速回転させるためには、このデータを素早く収集し、その結果をパッと見てわかるようにする必要があります。仮説→検証スパイラルとは、「見えれば気付く」⇩「気付けば動く」⇩「動けば変化する」⇩「変化を目に見えるようにする」というサイクルをクルクルと回していくことです（21ページの図参照）。

現場の実地データがひと目でわかりやすく提示されれば、いろいろと気付きがあります。気付こうと思わなくても何かしら気付くものです。気付きがあればそこに動きが生じます。担当者に指示を出すこともあるでしょう。責任者を呼んで事情を詳しく聞こうとするかもしれません。場合によっては、戦略方向の見直しをしなければならないかもしれません。

動けばそれによってまた何がしかの変化が生じます。例えば実地データを見た経営者の機嫌が悪くなった、というだけで社内には変化が生まれます。微妙な変化ですが、「あら、社長の機嫌が悪いぞ、急いで対応しないとまずいぞ」という認識が周りにいた社員に芽生えれば、それが変化を生むわけです。そして次の日には、またその変化をチェックします。また見えれば、また気付きがあります。この繰り返しです。

こうしたことを生産現場で徹底したのがトヨタ自動車の「KAIZEN」ですね。日本語の「改善」を英訳すると、「Daily Continuous Improvement」だと、あるテレビ番組で同社の張富士夫会長がおっしゃっているのを聞いたことがあります。

トヨタ生産方式の生みの親と言われる大野耐一氏は、「百聞は一見にしかず」どころか「百見は一行にしかず」であると言ったそうですから、見えることも大切だが、やってみることはもっと大切であるということでしょう。必ずこれが正解というものはないわけですから、よいと思えばやってみて、その結果を見てまた改善です。

〝Daily Continuous Improvement〟ですから、日々日々、繰り返し繰り返し、改善また改善です。これこそがマネジメントであり、この徹底が世界のトヨタを生んだのです。トヨタはこれを生産現場で徹底したわけですが、これを経営そのものに当てはめたいのです。

仮説→検証のスパイラル

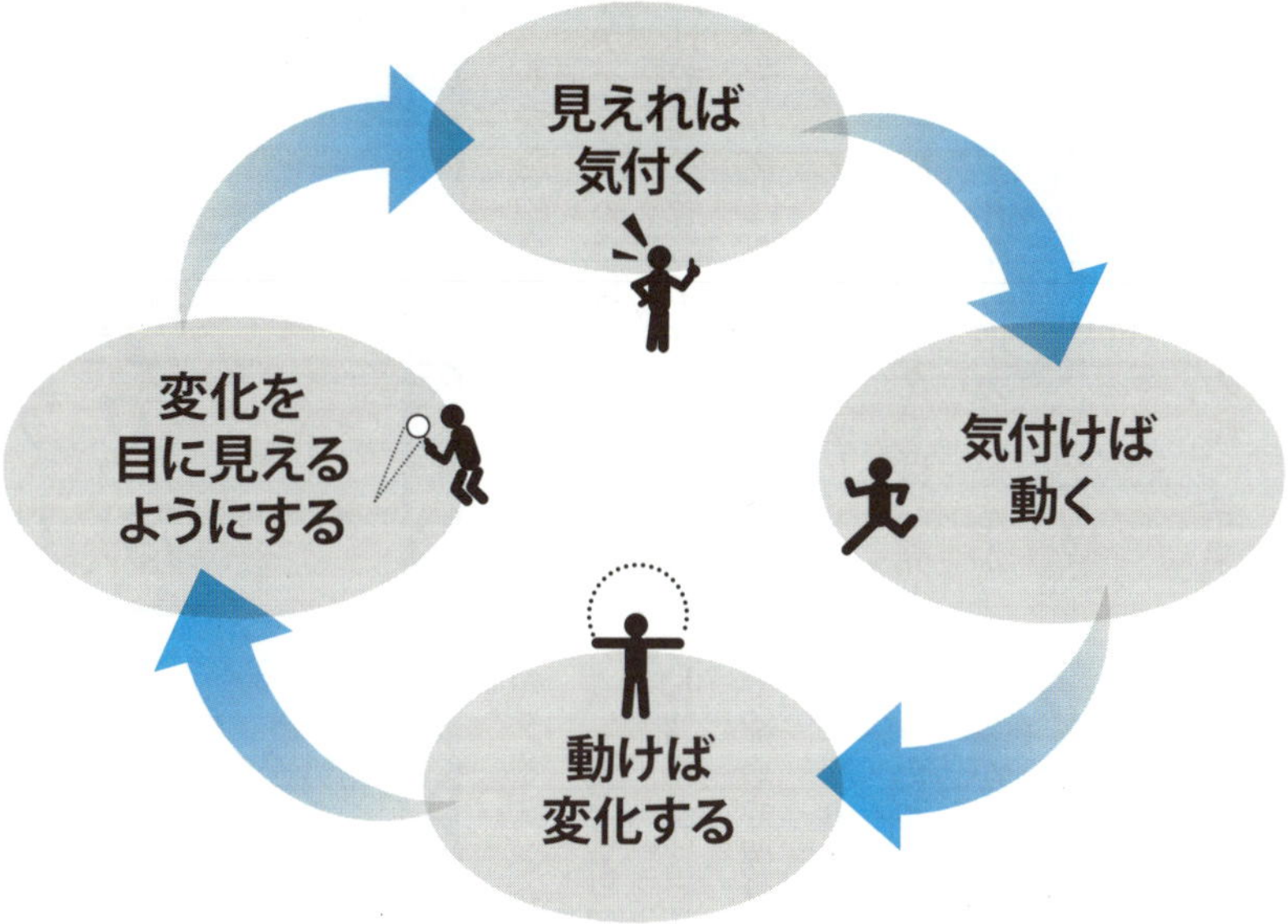
見えれば
気付く
気付けば
動く
動けば
変化する
変化を
目に見える
ようにする

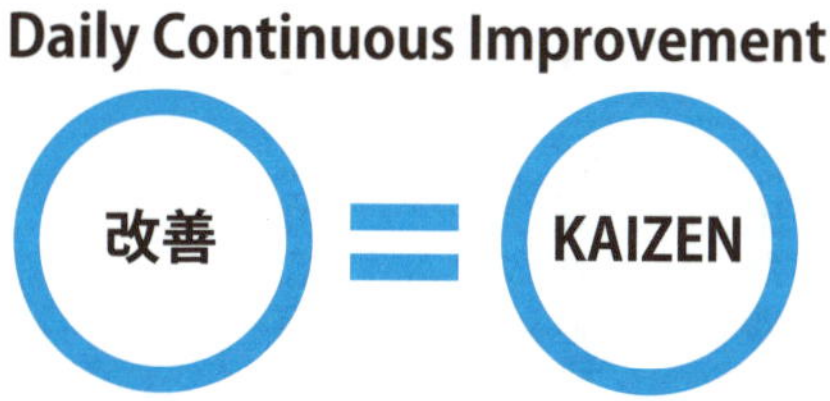
Daily Continuous Improvement
改善
KAIZEN

百見は一行にしかず

**日々変化する経営情報を常にチェックし、
仮説→検証のスパイラルを高速回転させる**

4

経営状態をリアルタイムにつかむには、ＩＴの技術が欠かせない

会社の経営状態を把握する仕組みに問題はないか

現在、あなたの会社では経営状態をどのタイミングで、どのような方法で把握されているでしょうか。月次の試算表を見て把握している会社も多いでしょう。では、その試算表は締め後、何日で経営者の手許に届いているでしょうか。５日後か、10日後かわかりませんが、すでに過去のデータになっていますね。月末で締めて翌月の10日に試算表を見たとすると、最長で40日前のデータをそこで確認していることになります。

またこうした財務データでは、売上がどうだったのか、利益は出たのか、経費はどれくらいかかったのか、在庫は増えているか、売掛金が膨らんでいないか、といった結果はわかりますが、「なぜ売上が上がっているのか」、「なぜ在庫が増えたのか」といった、その結果が出たプロセスをつかむことができません。

プロセスもわからないのに、結果だけを見て、よいとか悪いとか言ってみても、何も手が打てないのではないでしょうか。部下に向かって「もっと経費を減らせ」とか「もっと利益率を

上げないとダメじゃないか」とお小言を言って終わりになってしまいませんか。それで毎月同じことの繰り返し。これでは経営状態を把握しているとはいえません。

会議を通じて経営状態を把握する方法はどうでしょうか。月次での営業会議はいつ実施していますか。翌月の中旬頃になって、前月の反省会をしているような会議ではないですよね。それも営業担当者からの口頭での言い訳ばかりになっていたりすることはないでしょうか。

それが事実なのか、担当者の思い違いなのか、主観的なニュアンスを言っているのか、ごまかそうとしているのか、裏付けるデータも不充分だと判断がむずかしいのではないでしょうか。

会議の場で実際に担当者から生の声を聞くことは微妙なニュアンスをつかむうえで重要なことですが、それだけでは正確な経営状態の把握はむずかしいでしょう。

社員から上がってくる日々の日報を読んで、経営状態を把握するというのはタイムリーでよさそうですが、全社員が日報を書いて、毎日きちんと提出しているでしょうか。書いたり書かなかったり、書く人は書くし、書かない人は書かない、といったことになっていないでしょうか。日報に書いてある内容が正しいかどうか、どうすれば確認できるでしょうか。

日報というのは、日々の社員の動きをつかむ大切な情報ですが、それだけを見て経営を判断することはできません。

全体のバランスを見るためには、データの一元集約化が必要

自社の経営状態を把握するためには、こうしたさまざまなルートから上がってくるデータを一元集約し、全体のバランスを把握する必要があるのです。そのために、ひと目で見えるようにデータを一覧表示する仕組みが必要です。こうした経営を「コクピット経営」と呼ぶ人もいます。冒頭でも述べたように飛行機の操縦席のようにさまざまな計器が並び、たくさんのデータを複合して判断をしていくイメージです（次ページの図参照）。

全社売上の推移も見たいし、重点顧客の売上も確認したい。受注単価や受注期間も要チェックです。顧客からのクレームや要望がどれくらい上がってきているのかもつかんでおかなければなりません。在庫状況や売掛金の増減も見たいはずです。さらに、社員の活動状況もつかんでおかなければ経営効率も判断できません。

企業経営は飛行機を操縦する以上にさまざまなデータを把握して、それぞれのデータのバランスや相関関係を判断しながら、意思決定する非常に複雑な業務ではないかと思うのです（私は、飛行機の操縦をしたことがないので、断言はできませんが……）。

経営というのは、単に売上が増えていればよいというものではなく、それに伴ってクレームが増えていたり、在庫が膨らんでいるという問題があるかもしれません。また、既存顧客からの売上ばかりで、新規顧客や新規案件の創出が充分にできていないという問題が潜んでいるかもしれません。

経営データが一元化されたコクピットのイメージ

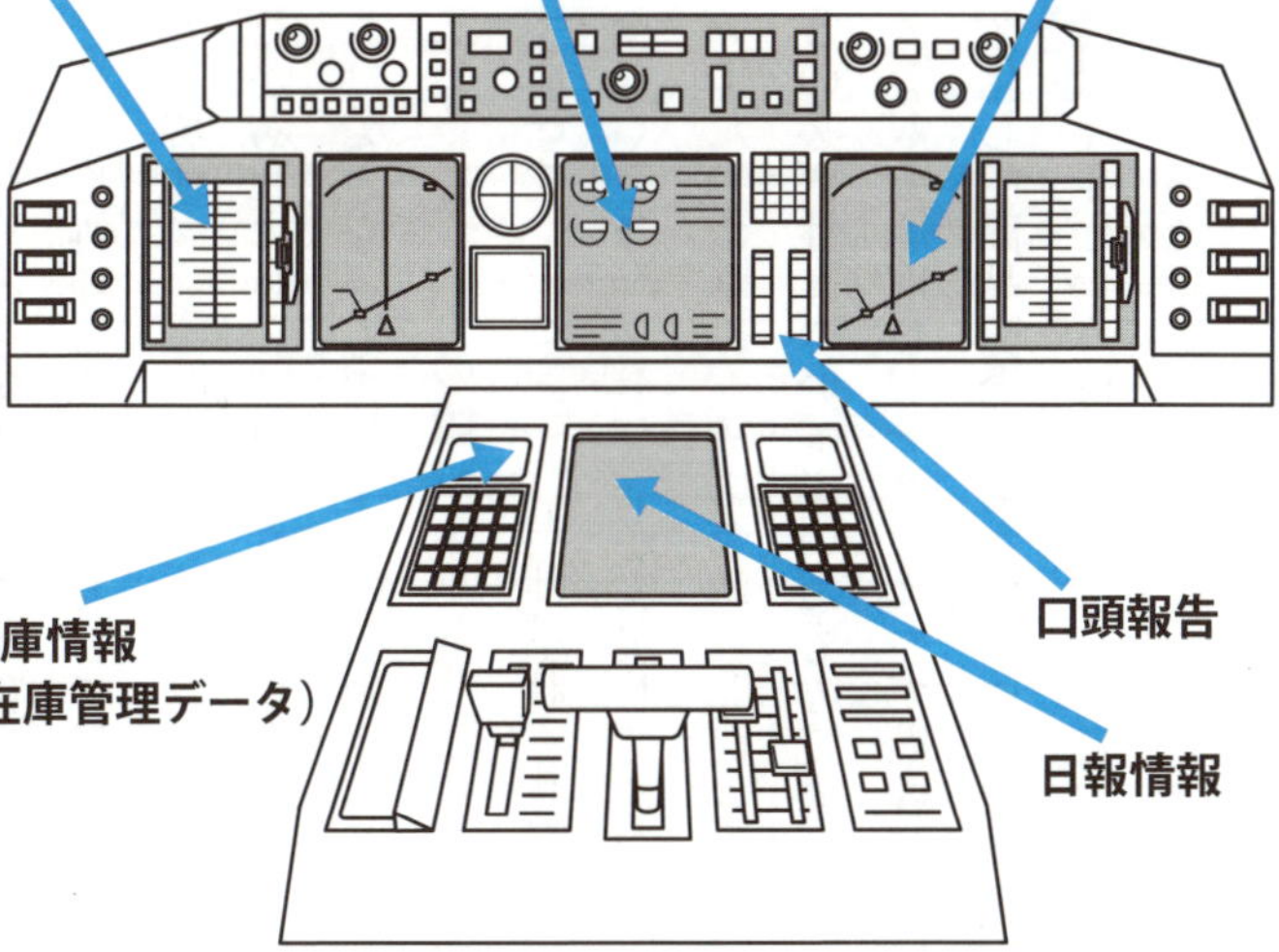

さまざまなルートから上がってくる
情報が一元集約され、
リアルタイムに一覧で確認できれば、
より精度の高い企業経営が実現できるはず…

ＩＴ技術の進歩と低価格化によって可能になった経営改革

以上述べてきたような経営の仕組みを実現するためには、どうしてもＩＴの力を借りる必要があります。膨大な情報を素早く処理して、パッと目で見える形にするためには、紙の資料や手書きでは間に合わないからです。

情報はＩＴで処理するしかありません。何でもかんでもＩＴを使えばよいというものではありませんが、ＩＴでなければできないものはＩＴを活用するしかないのです。

私がまだ駆け出しのコンサルタントの頃、１９８０年代の終わり頃だったと思いますが、「ＳＩＳ（Strategic Information System）」と呼ばれる戦略的な情報システムが提唱されましたが、最近になってようやくそのコンセプトが実現してきたのではないかと感じています。

当時、若手コンサルタントだった私は、その素晴らしいコンセプトに「これだ」と飛び付いて、多くの経営者にＳＩＳの必要性について説いたものです。そして、企業戦略を実現するための仕組みとして情報システムを活用し、それによって顧客の囲い込みを行ったり、顧客の購買動向などをデータベース化して商品開発に活かすといった提案をしました。

しかし当時のＩＴ（当時はＩＴという呼び方はしていなかったと思いますが）の技術は、まだまだそのコンセプトを実現するだけのパワーを持っていませんでした。販売管理システムに毛の生えたようなシステムを入れて終わったような会社も少なくなかったはずです。

それがようやく20年近い年月を経て、途中インターネットや携帯電話などの登場もあって現実のものになろうとしているのです。この進歩はぜひ取り入れるべきですし、何しろそのコストが安くなっています。パソコンが高性能になり安くなったのはもちろんですが、大きく変わったのは通信回線費用です。インターネットや携帯電話の回線費用がかなり下がっています。

さらに、最近では、「SaaS」（サース：ソフトウェアを買うのではなくサービスとして提供してもらう）という形態も増えてきました。これも通信回線の整備と低価格化が要因ですが、自社にコンピュータを置いたり、面倒を見なくても、月額の利用料だけで活用できるのです。

競争に勝つためにＩＴ武装化が避けられない時代に

このように、ＩＴが進歩し、低価格化が進むと、一般の中小企業でも簡単に取り組めるようになりますから、いつライバル会社がＩＴ武装してくるかわかりません。その費用が何億円もするものなら二の足を踏むでしょうが、何百万円とか、月々数万円の費用で活用できるとしたらどうでしょう。ライバル会社がこぞってＩＴ武装に取り組んでもおかしくありません。

ビジネスは、命は取られませんが戦争です。敵が武装してくるならこちらも武装して戦うしかありません。好きとか嫌いとか、得意とか不得意とかという問題ではないのです。

これからはマーケット縮小で間違いなく競争が激化していきます。同業他社だけでなく異業種からの参入などもあるでしょう。そういうなかで戦っていくためにはＩＴ武装は避けて通れませんし、敵から撃たれてはじめて撃ち返すのではなく、どうせなら先制攻撃をするべきなのです。

5

「見える化」を進める経営改革の具体的手順

本章で述べてきたような経営の仕組みをつくっていく具体的手順、方法については、Ｐａｒｔ３以降で詳細に解説していきますが、ここでは全体のアウトラインを示しておきたいと思います。

ステップ１　経営理念をわかりやすい言葉で言い表す

多くの企業では経営理念を掲げていますが、そのほとんどは「顧客満足」とか「世の中の発展に寄与する」とか「社員や顧客の物心両面の幸福」といった、どの会社でも通用するような一般論的な内容が多いように思います。

そこから少し掘り下げて、「自社が実現する顧客満足とはどういう満足なのか」、「何があったら顧客は満足するのか」、「世の中の発展にどのように寄与するのか」、「自社にしかできない貢献はあるのか」、「社員の幸福とは何ぞや」と考えていきます。

経営理念より〝会社の使命感〟といったほうがふさわしいかもしれません。米国流で言えば

「ミッションステートメント」です。

「顧客満足」とか「地域への貢献」といった言葉では、当たり前すぎて、「それはそのとおりだけど、どうやって実現するのか」が不明確です。経営理念をつくり変えたりする必要はありませんが、経営理念をどう解釈し、どう実践していくのかを社員にわかりやすく説明できるレベルまで落とし込む文言を追加してほしいのです。

ちなみに、私の会社では、企業目的として、次のような明文化した文言があります。

「私たちは、人と人、人と企業を結ぶことで、新しい価値を生み出し、すべての人々が心ときめき、思いやりにあふれる国際社会を創り上げることを目指します」

しかし社員に対しては、これを次のように落とし込んだ表現で繰り返し訴えています。

「日本企業を元気に、そこで働く人たちをハッピーに、中小企業にもＩＴツールとコンサルティングを、地方企業にも木目細かいフォローを」

もちろん社員に説明するときは、この前後にあれこれ理由や根拠を示すわけですが、この会社がそもそも何をしようとしていて、そのためにどういう手段をとろうとしているのかを明示したいのです。けっして上手な文章である必要はなく、わかりやすければよいのです。

ステップ2　20年後のビジョンをイメージし、事業ドメインを設定する

次に、20年後の将来ビジョンを検討していきます。10年後だと近過ぎ、30年後だと先過ぎる感じがします。

20年というのは概ね経営者の一世代と考えてもらえばよいと思います。40代以上の経営者であれば、リタイアから後継者へのバトンタッチが視野に入ってくるでしょう。20代、30代の若い経営者であれば、次への世代にバトンを渡すための体制固めと考えてみてください（場合によっては、２０２５年とか２０３０年といった具合に年号のキリのよいところに設定しても構いません）。

〈ステップ1〉で確認した理念や使命を果たそうとすると、20年後にはいったいどんな会社であるべきなのか、どうなっていたいのかを考えていくわけです。現状のしがらみや現時点での経営資源、人材、商材などにあまりとらわれないように自由に発想を拡げていくことが重要です。

これから20年もあるのです。いまは無理でも可能になることはたくさんあります。というよりも思いつくようなことで実現不可能なことはありません。なにしろ20年もあるのですから。

こうした検討をある程度進めたところで、並行して「わが社は何業なのか」という事業ドメインの設定を行います。

この事業ドメインの設定で、いままでにない、他に例のない業種、業態を設定できるかどうかが、人口減少・マーケット縮小時代に新しいマーケットを生み出していくための重要ポイントとなります。

一般に、「あなたの会社は何業ですか？」と聞かれると、政府が決めた業種分類で答える人が多いのですが、これでは他社と横並びの発想からなかなか抜け出せません。自社しかない、自社しか知らない勝手な業種をつくってしまうのが事業ドメインの設定です。
事業ドメインが設定できると、そこからまた将来ビジョンが固まってくるかもしれません。

ステップ3 ビジョンマップ、戦略・戦術マップを作成する

将来ビジョンが固まり、事業ドメインが設定できたら、それを20年後の「ビジョンマップ」に落とし込みます。ここでいよいよ〝戦略の見える化〟の作業が始まります。

20年後のビジョンマップが描けたら、それを3年後もしくは5年後のマップに落とし込みます。20年後のビジョンマップは不確定要素が非常に大きいので、そのままですと、ただの絵に描いた餅で終わってしまいます。そこで現在と20年後の未来をつなぐ架け橋として、多少予測の確度が上がる中期のマップを描いてみます。これを「戦略マップ」と呼びたいと思います。

そして、その戦略マップから単年度の方針を示すマップへと、さらに具体化します。これは、年度の戦略といえなくもないですが、ここでは「戦術マップ」と呼ぶことにします。

戦術マップは、年度方針を目に見えるようにするものです。「今年（今年度）は、どういう狙いで何をしていくのか」、「それが日々の活動にどう落とし込まれるのか」を明示するのが戦術マップです。

具体的に、それぞれのマップがどういうものか、どのように作成するかについては、Part3で詳しく解説します。

ステップ4 スコアカードを作成して、基準値を明確にする

地図を描いて、目標地点が明示できたら、そこに向かうための道筋を決め、その道の途中の距離を明示しておく必要があります。

詳しくは後述しますが、経営の手法としては、「スコアカード」というツールを使って、その距離を目に見えるようにします。これは、前述の戦略マップ、戦術マップを具体的なアクションに落とし込むための「得点表」ともいえるもので、マネジメントの基準値です。

人間の五感は問題意識がなければ充分に働きません。問題意識は問題を認識することによって生まれてくるものですから、問題を明確にすることが見えないものを見るためには必要なことです。

問題というのは人間の頭の中でつくり出される概念でしかありませんから、目には見えません。目に見えない問題を見えるようにするには、基準をあらかじめ明示して、そこに実績値を対比させてギャップを確定させることが必要なのです（次ページの図参照）。

スコアカードによる基準の明確化がなければ、いくら日々のリアルな経営データを表示できたとしても、問題が見えてきませんから、人間の五感が働きません。見えないものを見、人間の能力を引き出すためには問題をつくり出さなければならないのです。

また、スコアカードがあることによって、個々人の評価基準をあらかじめ示すことが可能となり、評価に公平性や公正さを保つことができるようになります。

問題を認識することで問題意識が生まれる

問題とは⇨ 目標と現状とのギャップのこと

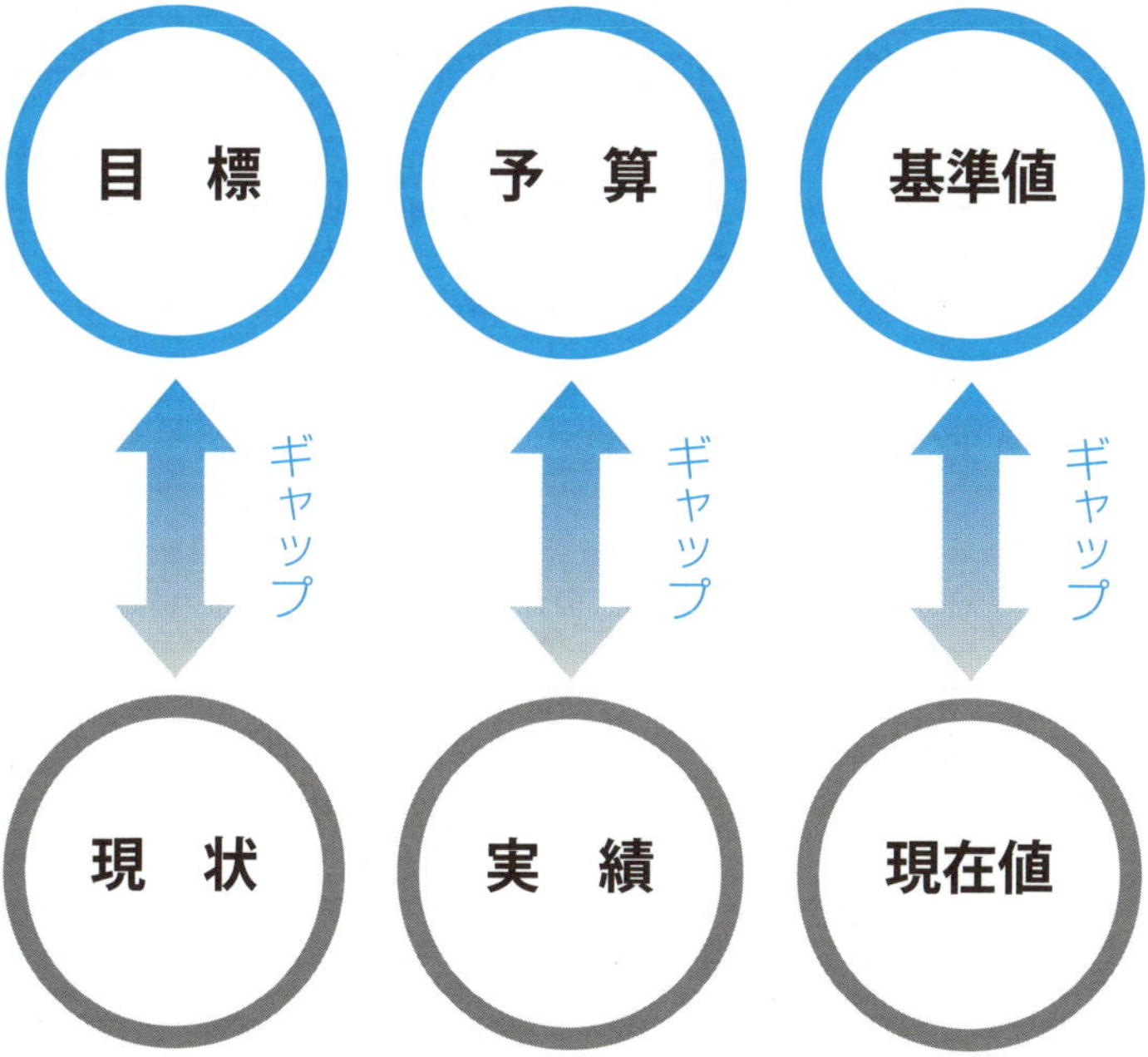

目標、予算、基準値を設定することで、
問題が明確になり、問題意識のアンテナが立つ！

ステップ5 戦略や方針を絵空事で終わらせないアクションプランを決める

スコアカードが完成したら、そこで設定された業績評価の指標を実現するために、誰が、何を、いつ、どのようにしていくかを明確にしていきます。

経営戦略や経営方針を単なるお念仏や絵空事で終わらせないためには、このように具体的なアクションにまで落とし込む必要があるのです。

多くの会社は、この部分が曖昧になって、結局精神論的なマネジメントになりがちです。将来ビジョンも中期の戦略も年度の方針も日々のアクションプランも、自分たちが想定した仮説に過ぎません。思い違いもあるでしょうし、想定外の環境変化もあるかもしれません。

そこを明らかにするためには、やると決めたことをキッチリとやり切るということが重要です。やるべきことをやり切ってこそ、立てた仮説が正しかったのか間違っていたのかの判断ができるのです。

こうしたことをいい加減にしておいて、「うちの会社は、経営戦略が徹底できていない」など他人事のような言い訳をしていては、いつまでたっても経営を改革していくことはできません。

ステップ6 日々の社員の活動情報が吸い上げられるシステムをつくる

やるべきことが決まったら、それがきちんとできているか、順調に進んでいるのか、途中で停滞していないかをモニタリングする仕組みをつくらなければなりません。

多くの企業では、このモニタリングがおろそかになっています。アクションプランをつくっても現場のモニタリングができなければ検証ができませんし、次への改善もできません。

また、モニタリングをしていたとしても、その頻度が1ヵ月に1回や4半期に1回の頻度では間隔が空き過ぎです。これから前人未到の人口減少・マーケット縮小時代に突入して厳しい戦いをしていくためには、モニタリングは日々、日次で回していく必要があるのです。トヨタのＫＡＩＺＥＮもDaily Continuousでした。日々日々繰り返してモニタリングして、すぐに手を打っていかなければ変化のスピードについていくことができません。

デイリーでモニタリングシステムを回そうと思うと、どうしても社員には日報を入力してもらうことになります。私はこの仕組みを日本人にわかりやすいように「ＩＴ日報」と呼んでいますが、日報という名称がイヤなら、「デイリーシート」でも「デイリーレポート」でも何でもよいのですが、とにかくデイリーに現場の動きをモニタリングし、アクションプランで設定した行動項目が日々の業務の中でどう実行されているかを把握する仕組みを構築しなければなりません。

ステップ7 経営のコクピットを完成させる

日々のモニタリングの仕組みができたら、生産管理システムや販売管理システムなど基幹業務システムとの連携を行って、全社の経営状態が一覧で確認できるシステムを構築します。

基幹業務のデータはすでにデジタル化されていますので、それらを統合して表示させる設定をすればよいだけです。

こうしたシステムが構築されると、販売管理システムなどから上がってくる実績データとモニタリングシステムから上がってくる未来に向けたプロセスデータを統合して、そのバランスをチェックすることができるようになり、経営のコクピットが完成します（一例を38～39ページに掲示）。

このシステムで吸い上げ、表示されるデータは、ビジョンマップ、戦略マップ、戦術マップで設定した目的地に向けた道筋をどこまで進んでいるのかを示す現在位置情報ですから、日々の活動が戦略遂行に向けてどのように作用しているのかを明らかにすることができます。

こうして、経営者も一般の社員も自社の現在位置をリアルタイムに目にすることができるようになります。

「見える化」を進める経営改革のステップ

Step 1
経営理念・使命を再確認する

Step 2
20 年後の将来ビジョンを描く

Step 3
ビジョン、戦略、戦術をマップ化する

Step 4
スコアカードを作成する

Step 5
アクションプランを決める

Step 6
モニタリングシステムを作る

Step 7
経営のコクピットを完成させる

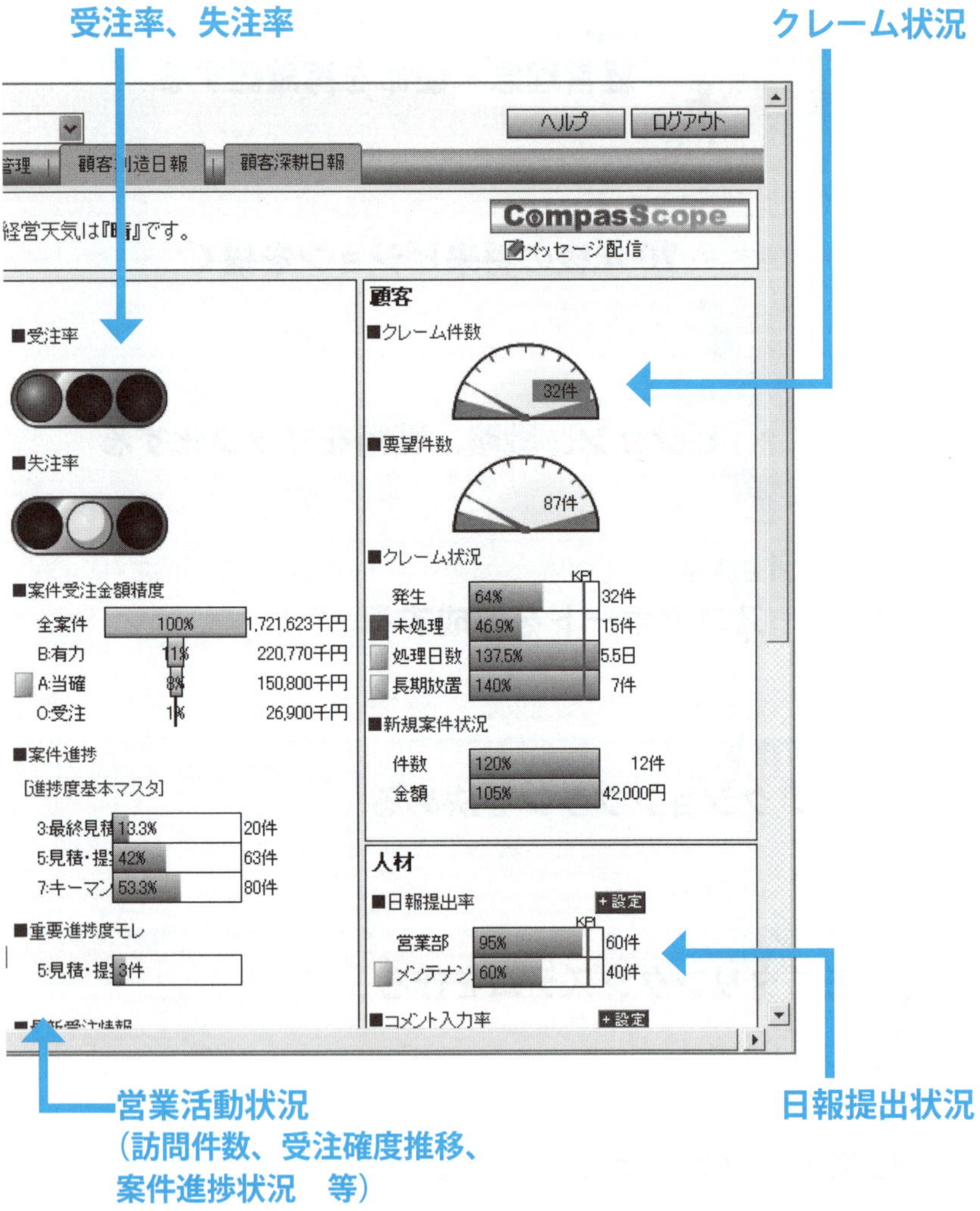
受注率、失注率
クレーム状況
ヘルプ
ログアウト
顧客創造日報
顧客深耕日報
経営天気は『晴』です。
CompasScope
メッセージ配信
■受注率
■失注率
■案件受注金額精度
全案件 100% 1,721,623千円
B:有力 11% 220,770千円
A:当確 8% 150,800千円
O:受注 1% 26,900千円
■案件進捗
[進捗度基本マスタ]
3:最終見積 13.3% 20件
5:見積・提 42% 63件
7:キーマン 53.3% 80件
■重要進捗度モレ
5:見積・提 3件
顧客
■クレーム件数
32件
■要望件数
87件
■クレーム状況
KPI
発生 64% 32件
未処理 46.9% 15件
処理日数 137.5% 5.5日
長期放置 140% 7件
■新規案件状況
件数 120% 12件
金額 105% 42,000円
人材
■日報提出率
+設定
KPI
営業部 95% 60件
メンテナン 60% 40件
■コメント入力率
+設定
営業活動状況
（訪問件数、受注確度推移、
案件進捗状況　等）
日報提出状況

経営コクピット画面の例

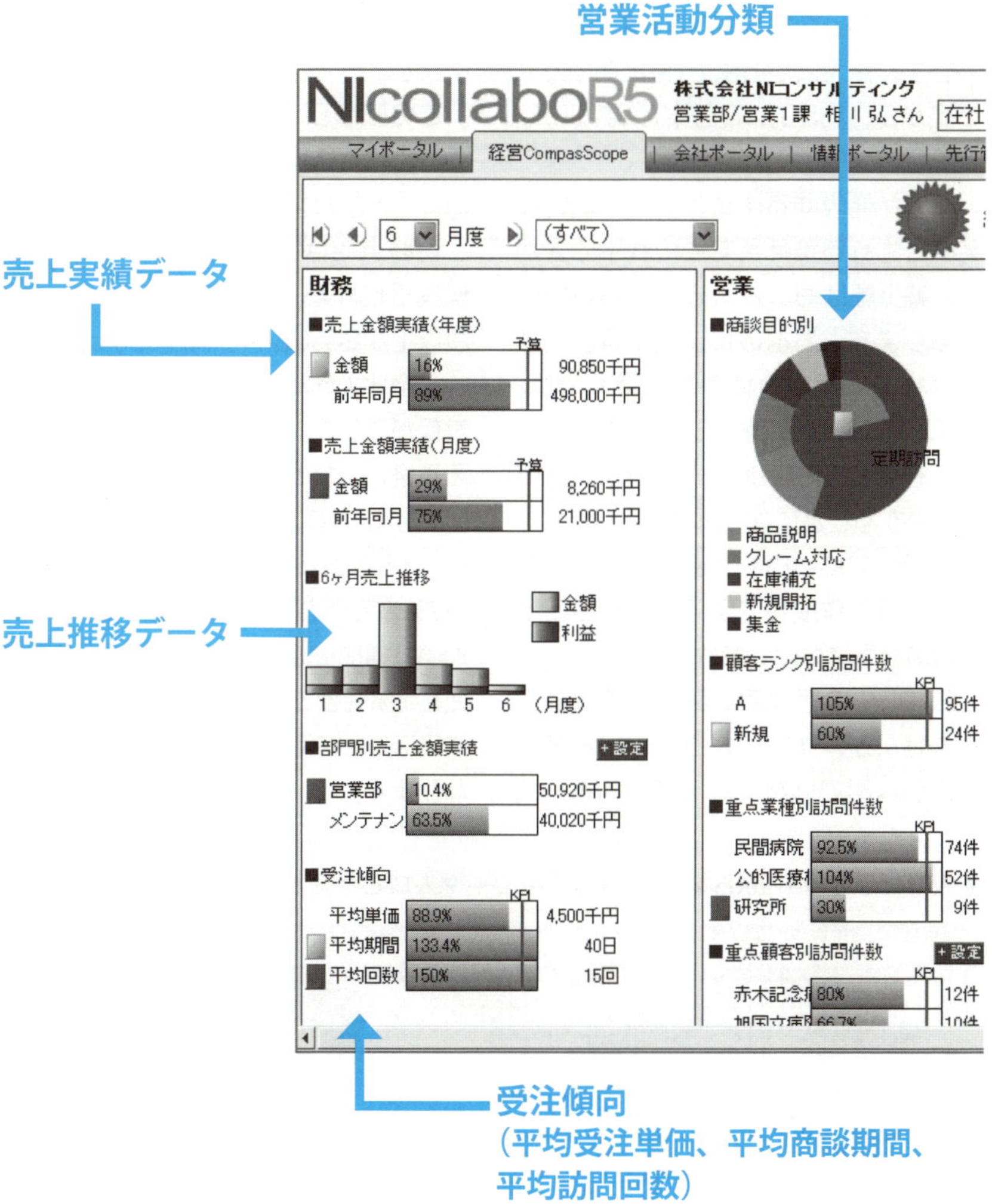

Column

「50年間で30%人口減」の衝撃

2006年12月に発表された将来人口推計では、2055年の日本の総人口は8993万人と予測されています。2007年現在の総人口がおよそ1億2700万人ですから、約50年で日本の総人口は30%減少することになります。

政府が発表する中位推計（実現性が高いとされる推計）でこの数字ですから、減少幅はもっと大きくなる可能性もあります。ちなみに、低位推計（出生率などを悲観的にみた推計）では、2055年の総人口を8237万人と予測しており、この場合は、現時点から35%減少することになります。

参考までに、国立社会保障・人口問題研究所で作成している人口ピラミッドの図を下に掲げておきます。

2005年の図は馴染みがあるかもしれませんが、すでにピラミッドと呼べるような形ではなくなって、釣鐘型になってしまっています。これが2055年には、釣鐘どころか「逆ピラミッド」としか呼べない尻すぼみ状態となっています。

この図から、総人口が減るだけでなく、世代間の年齢構成が大きく崩れていくことがおわかりになると思います。

現時点では、15歳から64歳までの現役世代は総人口に対して65%、65歳以上が20%という構成になっています。全体の5人に1人が高齢者で、現役世代が3人ちょっとで1人の高齢者を支える格好になっています。

しかしこれが2055年あたりになると、15歳から64歳までの現役世代は50%まで落ち込み、65歳以上は40%という構成になってしまいます。5人に2人が高齢者で、現役世代1人が高齢者をほぼ1人支えなければならないことになります。

▼人口ピラミッド2005年

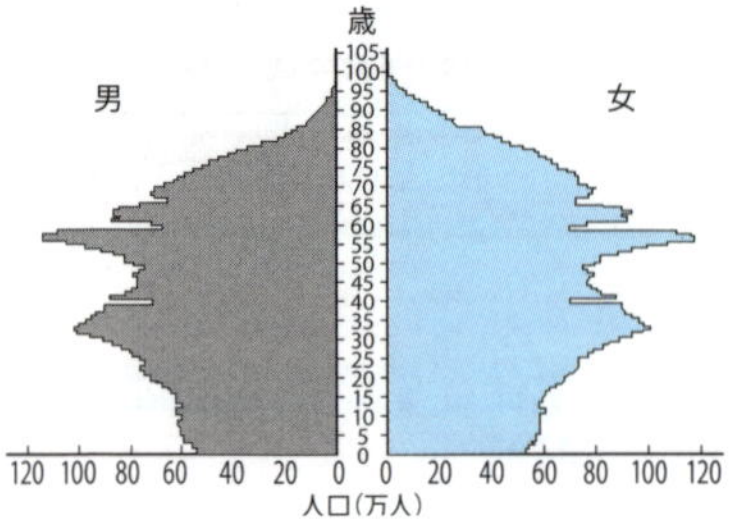

▼人口ピラミッド2055年

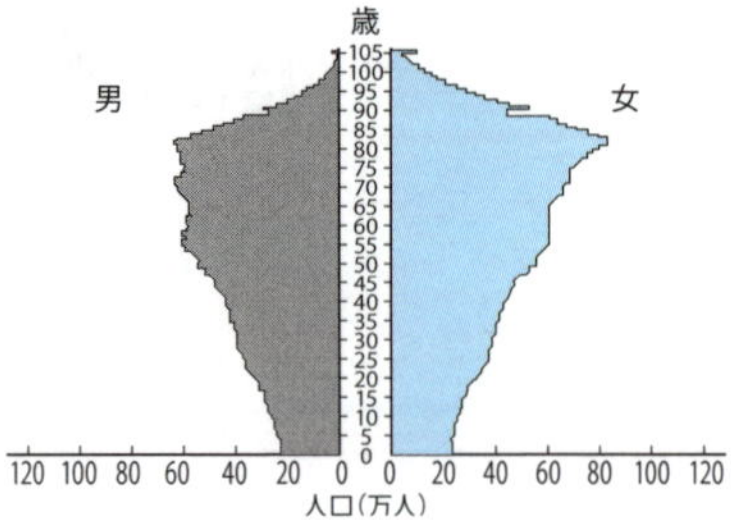

Part2

戦略、マネジメント、現場の「見える化」が多くのメリットをもたらす

多くの企業では、戦略を立てたら立てっ放しになっていたり、立案した戦略も他社との横並びや後追い戦略で独自性が見られません。また、マネジメントは先月、先週までの過去データによる結果管理になっており、売上や利益の数字を追いかけるだけになっています。

現場の社員は数字に追い立てられ、何のために仕事をしているのかといった意義や使命感も忘れ、目先の仕事をこなすだけで疲弊してしまっています。経営層から幹部・マネジャー層、そして現場への戦略の落とし込みやコミュニケーションも不足し、逆に現場からの生々しい情報が上に上がりにくくなっています。

そして経営者は「現場が見えない」と不満を漏らし、現場は「会社はどういう方針なのかわからない」、「上の人は現場がわかっていない」と諦めてしまっています。

こうした現状を打破するには、戦略の地図を描き、進むべき道筋を決め、企業行動の実体をよく見えるようにし、経営者から現場の一社員までがセルフマネジメントできる組織運営をすることです。このように、

①戦略の「見える化」

②マネジメントの「見える化」

③現場活動の「見える化」

が実現した経営を「可視化経営」と定義したいと思います。

「可視化経営」の実現によって、多岐にわたるメリットが生まれますが、本章ではＰａｒｔ１で触れたことも含め、それを整理してみましょう。

1 ビジョンや戦略が理解しやすくなることのメリット

メリット1 ビジョンや戦略が身近になり、社員のモチベーションがアップする

Ｐａｒｔ１で述べたように、可視化経営を実現していくプロセスでは、ビジョンや戦略をむずかしい文章や数値で示すのではなく、ビジョンマップや戦略マップという地図（絵）にして示しますから、若い人たちにも理解しやすく、パッと見てわかるものになります。

多くの会社では、将来ビジョンや中期経営計画などを策定して、社員に配布したりしていますが、それを持ち歩いたり、ツラツラと書かれた文章を何度も読み返すような社員はほとんどいません。ビジョンや戦略が経営者と幹部だけのものになってしまっては、もったいないですし、何しろそれを実現していくことができません。

なかにはビジョンや戦略が社長さん１人だけのものになっていて、幹部社員ですら自社の将来に対して展望を持てていない、希望を抱けていないという会社もあります。これではいくら優れたビジョンや戦略を持っていたとしても宝の持ち腐れになってしまいます。

可視化経営を進めると、長期ビジョンや経営戦略、営業方針といったものが目に見えるよう

になり、全社員に浸透していきますから、社内のモチベーションや士気が高まってきます。

また、可視化経営におけるビジョンや戦略は、単に数字による目標設定ではなく、自分たちの仕事がどのように顧客に喜ばれ、どう世の中にプラスになるのかを明らかにするものであり、そのために自分たちが何をしなければならないのかまで明確になりますから、日々の仕事に意義や価値を感じられるようになります。

メリット2 会社に共感する若い人が増え、採用活動にとってプラスになる

売り手市場の採用状況（65ページのコラム参照）ということもあって、もはやお金のためだけに就職しようとする若い人はほとんどいません。日々の生活のためだけであれば、わざわざ正社員になる必要もなく、フリーターや日雇い派遣など、いくらでもお金を稼ぐ手段があるからです。仕事が単に金儲けの手段であれば、どこの会社の仕事でも、アルバイトでも、日雇いでも、楽して高い賃金がもらえればよいことになります。

楽をして高い賃金をもらいたいとしか考えない人が、仕事に対して前向きになってモチベーションが高くなることはあり得ないでしょう。上司から怒られない程度に力を抑えて楽をしようとするはずです。反対に、お金をたくさん稼げれば何でもやるという若い人（かなり少数派になっていると思いますが）を動機づけるには高い給与を払う必要がありますが、会社としても限界があります。

そして、「とにかくお金がほしい」と言っていた人も、ちょっと給与が増え、余裕ができた

りすると、とたんにモチベーションが下がってきたりするものです。そもそも金儲けのために何でもするというような人は、真っ当な会社に就職していませんね。

豊かになった日本では、社員のモチベーションを上げる源泉は、仕事に意味と価値を与え、その仕事をするうえでの貢献度、成長度を実感させることです。そして、共にビジョン実現をめざす仲間の存在が必要なのです。

そのためにまず必要なことがビジョンや戦略の共有であり、自分たちはいったい何をめざして、どう世の中に貢献する集団になろうとしているのかを明らかにすることです。逆に言えば、それに対して共感し共鳴する人が社員としてその会社に入ることになり、辞めずに勤めてくれることになります。

ビジョンや戦略の共有は、前述のように社員のモチベーションを上げることにも有効ですが、新しく採用しようとする新卒学生や中途面接者に対しても就職モチベーションを上げるために有効に機能するのです。

メリット3 社内で統一した問題意識を醸成することができる

可視化経営では、ビジョンや戦略が共有されるだけでなく、そのビジョンや戦略を実現していくための道筋や手順を「マネジメントの可視化」として全社で共有することになります。

こうした取組みによって各部署、各人がそれに向けた正しい目標を持ち、それによって全社で統一した問題意識を醸成することができるようになります。そして、ビジョンや戦略、経営目標などと整合した問題意識を持つことで、社員個々人の能力が正しい方向で発揮されることになります。

人間の能力はその本人の問題意識によって発揮されたり、弛緩してしまったりするものです。例えば、本を読んだりテレビを観たりするときにも、問題意識もなくボケーッとしていると、大した情報をキャッチすることはできませんが、何かしら問題意識を持っていると、あれこれヒントが見つかったりするものです。ですから同じ本を何度か読み返すと、その時々の問題意識によってヒントになる点や感じる点が変わってきたりします。

人間の持っている能力は問題意識が働いていないときには発揮されないのであり、必要な情報やヒントがあっても、それに対する問題意識が本人になければキャッチすることができないのです。

この問題意識を正しく醸成するのが可視化経営です。目標値、基準値を明確にし、それに対して現在値、現状を可視化することで、そのギャップが明らかになり、そこに正しい問題意識が生まれます。単に各社員のモチベーションが上がるだけでなく、正しい問題意識が醸成されることで、そのモチベーションがより有効な方向に発露することになるのです。

メリット4　長期・中期・短期の取り組みに一貫性が生まれる

正しい問題意識が醸成されれば、当然正しい行動が導かれるはずですが、実際の業務では、他の協力者と連携しなければならなかったり、相手が顧客であって思うようにならなかったりすることがあります。

また、人間は弱いものですから、正しい問題意識があっても怠け心が起きたり、その場の人間関係によってブレてしまったり、今日やるべきことをついつい明日に、来週にと先延ばししてしまったりということも起こります。

可視化経営では、ＩＴ化された「日報」によって社員の行動を日々捕捉しますので、醸成された正しい問題意識がきちんと行動につながっているかどうかを簡単にチェックできるようになります。

多くの企業で苦労していることは、長期のビジョンを描いたとしても、それを中期の計画や目標、日々の業務、行動までの一貫した流れへと落とし込めないことです。

長期のビジョンや戦略は絵に描いた餅になり、それとは不整合な現状積み上げ式の中期経営計画が立てられ、それも立てたら立てっ放しで、日々の活動や月次のマネジメントは従来どおりで変化なし、というパターンです。日々の活動に落とし込まれないのであれば、ビジョンや戦略は意味を持ちませんし、中期経営計画も単なる数値が並んだ表でしかありません。

問題は、日々の活動状況をモニタリングする仕組みを持っていないということです。だからどうしても、結果として達成したか未達だったかをチェックするだけの〝結果論マネジメント〟にしかならないのです。結局、ビジョンや経営計画は単なるお題目となって、現場の社員は軽視したり無視したりしはじめます。

可視化経営を推進すれば、こうした状態を確実に解消することができるのです。

2 現場活動のプロセスをリアルタイムで把握できることのメリット

メリット5　クレームやトラブルなど、想定外の情報を即座につかむことができる

可視化経営では、現場の仕事の進め方、現場での出来事まで可視化されますから、現場での想定外の動き、例えばクレームやトラブルや〝ヒヤリ・ハット〟などを経営者や管理者がつかむことができます。

ここで重要なことは、あらかじめ想定されたクレームやトラブルではなく、想定していなかったクレームやトラブルも吸い上げ、可視化するという点です。

多くの企業でクレーム共有などの取組みがありますが、クレームがよく発生する部署からクレームが上層部に上がってくる仕組みであったり、あらかじめ種類分けされた選択肢によってクレーム情報が分類されて報告されるような仕組みであったりすることが多いようです。

こうした仕組みでは、想定していない部署で受けたクレームが埋没してしまったり、あらかじめ決められた分類に当てはまらないような、想定外のクレームなどは正確に報告されなかったりします。

想定内のクレームであれば、件数の集計などができれば充分かもしれませんが、想定外のクレームの場合は、単に件数がわかればよいというわけではありません。仮に1件であっても、クレームの内容をよく分析し、対策をとらなければならないケースも出てきます。

なぜ可視化経営では想定外のクレームやトラブルも可視化できるのかというと、単なる顕在化したクレームやトラブルを共有する仕組みではなく、IT化された日報の活用によって潜在的なクレームやトラブルをも発見できる仕組みになっているからです。

ある社員がクレームともトラブルとも思わないことでも、何か新しい事象が発生すれば日報に記入します。それを立場の違う人が見れば、「想定外の新しいクレームではないか」、「トラブルの素ではないか」ととらえて問題視することができるのです。

また、少々顧客からクレームがあっても「まぁ、大したことではないな」と楽観的に流してしまうような人がいたりしますが、それが可視化されることで、周囲の人間が、「あのクレームが日報に書いてないよ」と指摘したりすることもできます。

こうして、現場の業務が可視化されているからこそ、想定していないクレームやトラブルの芽を早めに摘むことができるのです。

時代の変化、環境の変化、顧客ニーズの変化は、現場の些細な違和感によってキャッチされます。「クレームとは呼べないかもしれないが、何かおかしいのではないか」、「従来のクレームとは違うものだが、これはやはり問題なのではないか」といったちょっとしたニュアンス情報が、想定外の変化をキャッチすることにつながるのです。

メリット6 内部統制、コンプライアンスが徹底できる

当然、可視化経営を進めていくと、社内の情報はガラス張りになってオープン化されますから、社内の不正業務、ミスや抜け、漏れなども浮き上がってきます。

コーポレート・ガバナンスや内部統制、コンプライアンス、日本版Ｓｏｘ法など、さまざまな場面で、企業の業務管理、リスクコントロール、不正排除の必要性が叫ばれています。そうした内部統制やコンプライアンスの基本は、社内の情報がガラス張りということです。社員が何をしているのかが明らかになれば、不正のしようもありませんし、お互いにチェックすることも容易になります。

日々の現場の活動状況をオープンにすることを避けて内部統制を強化しようとすると、どうしても業務の標準化、マニュアル化を行い、決められた手順でしか業務をしてはならないという管理の仕方に陥ってしまいます。

これは業務の「ポジティブリスト化」（やるべきことを明示する）です。これでは、社員個々の創意工夫の余地がなくなり、社内に形式的な風土がはびこることになります。

「決められたことを決められたとおりにやっていればいいだろう」という姿勢が社内に蔓延すると、環境の変化、時代の変化に対応できなくなり、法律は守って、不正はしなかったけれども、時代の変化に取り残された、という結果になりかねません。

そうではなく、業務の可視化を前提にして、「ネガティブリスト化」（やってはならないこと

ポジティブリストとネガティブリストの例

ポジティブリストの例

- ○○の場合は◆◆とする
- 手順Aの次は必ず手順Bを行う
- ○○○円以上の支出は上司の承認をとること
- ○○業務マニュアルに沿って業務を行うこと

↓

指示された業務以外はしない

ネガティブリストの例

- 法令違反となる○○処理は行ってはならない
- 手順Cはクレーム発生率が高いので禁止とする
- 反社会的勢力と一切関わってはならない
- セクハラ・パワハラと認定されるような言動は禁止

↓

後は原則として自由裁量

を明示する）を進め、後は各人の創意工夫に委ねる方法をとるべきなのです。

明らかに法令に違反するようなことや反社会的な行為、倫理に反する行為などをネガティブリストで徹底します。しかしそれ以外はマニュアルでガチガチに手順を決め、手続きを固定化したりするのではなく、臨機応変に対応できるようにします（前ページの図の例参照）。

ただし、これによってまったくの放任、放置状態となってしまってはいけませんから、業務内容に関しては可視化します。何が起こるかわからない想定外の変化があるのが現実ですから、何かトラブルやクレーム、違和感があればすぐに可視化され、全社で共有される仕組みにしておくのです。

このやり方であれば、社員個々の創造性や工夫を阻害することもありませんし、必要な内部統制、コンプライアンスも徹底することが可能です。

もし、社内で行われていることが可視化されては困る、隠しておきたいことがある、と考えてしまった方は、それこそが内部統制上の問題なのであり、コンプライアンスの徹底ができていない証拠ですので、お気をつけください。

いまは経営者が隠そうと思っても内部告発でネットに書き込まれたり、監督機関に駆け込まれたりする時代であることをお忘れなく。経営者の報酬や交際費の使い道までオープンにしろとは申しません。しかし少なくとも社内の業務はオープンにして可視化すべきなのです。そういう時代になったのです。

メリット7 事前に必要な手を打てる先行管理にシフトできる

過去の結果管理ではうまくいかないことを指摘しましたが、可視化経営では結果を出すためのプロセス、すなわち先行指標を目に見えるようにすることで、先行管理マネジメントを実現することができます。

経営判断には、前年、前月、前週といった過去のデータも必要になりますが、それはあくまで、これから先どうするかを決めるための資料です。過去の分析ばかりに時間を費やすのは、バックミラーを見ながら車を運転するようなものです。時にはバックミラーを見て安全を確認することもあるでしょうが、基本的には前を見据えて、未来を予測しながら前進しなければなりません。

例えば、売上データや受注データは結果を表しています。売上や受注が結果として現れる前には、営業担当者の活動状況や新規案件の創出状況、見込客からの問い合わせ件数、見積作成数および見積金額などの先行データが現れてきます。

結果である受注や売上が確定してから、とやかく言っていたのではどうしようもありませんが、プロセス途上である先行データの段階で必要な手を打っていけば、多少なりとも結果に対して影響を与えることが可能になります。

特に営業活動のように、顧客を相手にして、ある程度の期間を要する仕事の場合、結果が出たら時すでに遅しですから、先行管理でプロセスにメスを入れていかなければなりません。

可視化経営では、日々の社員個々の活動を捕捉することができますから、こうしたプロセス把握は万全であり、プロセスを把握しているがゆえに、結果を変える先行管理が実現するのです。

メリット8 社員に対する公正公平な評価が可能になる

可視化経営は社員の評価も公正公平なものにしてくれます。人が自律的かつ自発的に仕事に取り組むためには、進むべき方向が明らかになり、その仕事の意味や価値について認識していることと同時に、やった仕事に対して公正かつ公平な評価が行われることが必要です。

経営者であれば、取り組んだ仕事の評価は結果がすべてです。結果が出れば自分の報酬を増やすことができますし、結果が出なければ、会社は傾き倒産するだけのことです。経営者を評価するのは顧客であり世間ですから、運、不運はあっても「不公平だ」と不平不満をぶつける先はありません。

しかし社員の場合、ふつうは上の人間による評価が行われますから、どうしても不公平感や不透明さがついて回ります。

人を評価するためには、結果だけでなくプロセスもきちんと見てあげなければなりません。たまたまうまくいくこともあれば、どんなに頑張っていても結果が出ないこともあるからです。結果だけを見て評価するようなやり方では、不平不満を生むばかりでプロセスの改善に結びつきません。それが近年の成果主義人事の失敗原因でしょう。

もちろん、ただ頑張っているだけで評価することはできません。やはりプロセスと結果の因果関係を明らかにして、プロセスがよかったから結果もよかったのか、プロセスは悪かったけどたまたま結果がよかったのか、結果は悪かったけどプロセスは次につながるもので評価できるか、といった判断ができるようにしなければなりません。

こうしたむずかしい課題を可視化経営は楽々とクリアしてくれます。何しろ、社員の日々の活動は捕捉されていますから、誰がどういう頑張りをして、どういう工夫をして、どう苦労していたのかがすべて明らかです。一方、結果はデータで出てきますから、プロセスと結果の両方を見て、バランスのよい評価を下すことが可能になります。

しかも、社員1人ひとりの仕事ぶりは他の社員もよくわかっていますから、昇格や昇進についても、多くの社員が納得する人事を行うことができます。

3 目に見える情報が全社的に共有されることのメリット

メリット9 社員が経営者の目線、意識を持って仕事に取り組めるようになる

よく社長さんが社員に向かって、「もっと経営者の立場で考えろ」、「経営者の視点で物事を判断しろ」、「自分が経営者になったつもりで仕事に取り組め」などとハッパをかけたりしますが、経営者になったこともないし、経営者がどういう情報を持っているのかも知らないのに、経営者の立場に立つことも経営者の視点を持つこともできません。何となくは理解できても、実感として経営者の立場に立つことはできないのです。

私も永年、コンサルタントとしてだけではなく、社員を抱える経営者としての経験をしてきていますから、「経営者になったつもりで考えてみろ」と社員に吼えたい気持ちは痛いほどわかりますし、私自身、過去に何度もそう言って社員に説教したことがあります。

しかし、その場では神妙な顔をして、「すみませんでした」と反省していた社員が、経営者と同じ問題意識、経営者と同じ危機感を持つなどということはほとんどありませんでした。読者の皆さんの会社でもそうではないでしょうか。

可視化経営では、少なくとも経営者が見ているのと同じ情報、同じ景色を社員にも見させることができます。進むべき方向は地図を描いて示します。どの道を通るかも一緒に決めていきます。そのうえで「経営者の視点で物事を判断せよ」と訴えてください。最終リスクも背負っている経営者とまったく同じになることはありませんが、経営者の言うこと、行おうとしていることに対する理解度や共感度は全然違ってきます。

20世紀は付加価値を生む工場を会社が所有して経営者が動かしていましたから、経営者だけが経営を見ていれば何とかなりましたが、21世紀の工場は各社員の頭の中にあります。頭の中の工場を動かすのはその社員本人です。社員本人が経営者の視点を持ってその工場を動かしてくれなければ工場はうまく稼動しません。可視化経営は、社員1人ひとりに経営者として自律的かつ自発的に仕事に取り組んでもらう仕組みなのです。

メリット10 社員同士、部門間のコラボレーションが促進される

これまで何度も述べてきたように、可視化経営が推進されれば、将来ビジョンや戦略、経営計画などが明確になり、全社的に共通の問題意識が醸成されてきます。すると社内には、戦略や目標を達成する〝同志〟としての社員間コミュニケーションが自然に生まれてきます。しかも、日常的にお互いの日報を読むことができるので、部門が違ったり、拠点が離れていたりしても、コミュニケーションのベースができ、非常にやり取りが活発になります。

それが日報のコメントを通じて行われることもありますし、メールや電話などの方法をとる

場合もあります。会議などで実際に会ったりすると、日頃の情報基盤があるので、すぐに「この間の案件はよかったね」とか、「最近、頑張っているね」といった会話が始まります。

このように、お互いの距離感が非常に近づくと、各個人が持っている経験知や知恵やノウハウが引き出され、社員同士また部門間のコラボレーションが促進されるようになります。

可視化経営を進めることによって、社員それぞれの創意工夫が誘発され、アイデアを出しやすい社内の風土をつくっていくことができるのです。

メリット11 業務の進め方や仕事のノウハウなどのナレッジを蓄積できる

可視化経営では、ホワイトカラー、ナレッジワーカーの社員は日々、IT化された日報を記入することになります。それによって業務が可視化され、目標の遂行度や達成状況がリアルに把握されることになるわけですが、この日報データは、そのまま生きた業務マニュアルになり、過去の経験知を未来のために残していくことにつながります。

各社員も単にその日の業務内容を報告するだけでなく、自分で後々役に立ちそうだと思えば、その情報を業務ナレッジとして登録することもできますし、重要なものは別途必要な人に通知し、選別して管理することもできます。こうしたことは紙の日報ではむずかしいのですが、IT日報では簡単に行うことができます。

よく、「紙の日報もろくに書かないのに、IT日報をきちんと記入するはずがない」と疑問視する人がいますが、それは間違いです。紙の日報は上司と部下との間でしか活用することができず、書いたら書きっ放しになりがちです。ところがIT日報は、一度記入しておけば、後から再利用することもできますし、情報を分析したり活用することもできます。

後で活用できるものだとわかれば、社員は黙っていても日報を記入するようになるのです。人間は意味のないことは大して時間がかからなくてもやりたがりませんが、意味があると思えば多少時間がかかってもやっておこうと思うものなのです。

こうして、可視化経営によって全社のナレッジが会社の財産になっていくのです。

メリット12 社員の思考力を日々訓練していくことができる

可視化経営のIT日報では、常に「次にどうするか」、「そこでどういう手を打つか」を考えて書くようにフォーマットがつくられています。「今日、何をしたのか」、「今日はどういうことがあったのか」という結果報告の内容であれば、覚えていれば書け、頭を使う必要がありません。しかし、「次にどうするのか」という内容は、ちょっと頭を使わないと書けません。

毎日書く日報ですから、次にどうするかを考え、それが実際にどういうアクションにつながり、そのアクションの結果がどうであったのか、その結果を踏まえてまた次にどうしようと考えたのか……、日報を通してこうした思考訓練を日々繰り返していくわけです。

このことによって、単に思考するのでもなく、単に行動を記録するのでもなく、思考と行動の連鎖を引き出していくことができるのです。可視化経営は、このIT日報を活用することで、目に見えない社員の頭の中を可視化し、思考訓練を促す取組みでもあるのです。

4

こうして変化に強い経営体質がつくられ、業績がアップしていく

「日報神経」を通じて環境変化への対応がスピーディに

「企業とは環境適応業である」という指摘もあるように、時代が大きく変わろうとしている今日、何より求められているのは変化に強い経営体質をつくることです。

そのためには、まず変化をキャッチする仕組みをつくることが必要です。次にその変化を受け容れる感度を持たなければなりません。そして3つ目に、素早くその変化に対応できる仕組みをつくらなければなりません。

すでに指摘したように、環境変化や時代の変化は、現場の想定外のトラブルやクレーム、出来事によって気付かされるわけですが、ＩＴ日報による〝日報神経〟を全社内に結ぶことで、そうした情報を現場から即座に吸い上げることが可能になります。

さらにその情報を可視化することで、経営の意思決定のスピードも速くなり、意思決定したことがまた〝日報神経〟を通じて素早く現場にフィードバックされ、次のアクションにつながっていきます。

変化を受け容れる感度は、将来のビジョンや目標を持ち、そこに問題意識を持つことで醸成されます。仮説ではあっても、将来への道筋を描いているから、そこから逸脱しそうな現象なり動きに対して反応することができるのです。

「日々穏便に過ごせればよい」、「現状維持ができれば充分」という意識の持ち主では、小さな変化にまで気が回らないでしょう。将来を見通し、将来を見ようと努力する人や企業だけが、「いまは大した変化ではないが、これが将来の大きな変化につながるのではないか」、「いまはまだ限られた分野でのことだが、何年か経てばそれが他の分野にも広がるのではないか」といった危機感を持つことができるのです。

顧客情報・マーケット情報も可視化され、顧客のダムができる

「経営状態の可視化」というと、ついつい社内のことばかりに目が向きがちですが、経営を把握するうえで非常に重要なものが社外にある顧客（マーケット）の情報です。

その会社のパフォーマンスがよいのか悪いのかを判断するのは社外にいる顧客なわけですから、社内のデータだけを見て経営判断をしたり、経営状況をよいとか悪いとか評価してしまうのは非常に危険なことです。

これからの営業は、単に自社で作ったり仕入れたりしたモノを顧客に対して売りに行く活動から、顧客との協働作業やコラボレーションによって一緒に価値創出していく活動へとシフトしていくことになるでしょう。

そうなると、顧客のことは営業部門だけが知っていればよい、営業担当者が担当顧客の面倒を見ていればよいというわけにはいかなくなります。顧客のニーズや情報、競合他社の動きや競合商品の動向などは、仕入部門、製造部門、開発部門、設計部門、施工部門、サービス部門、物流部門など非営業部門でも把握して、それに対してどうするべきかを考えていく、全社営業体制をつくらなければならなくなります。その全社営業体制を構築する出発点が、「顧客情報の可視化」なのです。

営業担当者は、実際にマーケットに出て、客先に行かないとわからない情報を社内にフィードバックして顧客（マーケット）を社内に可視化する〝諜報部員〟になるのです。

これを実現するために必要なのが日報です。「日報」というとイメージがよくないかもしれませんが、名前はどうであれ、日々の営業活動を通じ、社外の顧客や競合の動きを社内にフィードバックする情報媒体が必要なのです。

この日報は紙ではなく、IT化されていますので、やりとりされた情報は蓄積され、後で検索したり並べ替えたりができるようになります。また視覚化も簡単です。こうして、本来見えないはずの顧客やマーケット、競合他社の動きなどが手に取るようにわかるようになり、そのデータが蓄積されることで顧客データの〝ダム〟をつくることができます。

人口減少でマーケットが縮小していく時代には、顧客を放っておいては減るばかりです。それを防ぐには、常に顧客を溜めていくという発想が必要になります。つまり、顧客の〝ダム〟をつくるのです。その〝ダム〟さえできれば、自然に売上が増え、業績も向上していくのです。

社員全員がエンジンとなって業績アップが実現する

可視化経営で特に重要なことは、単に業績が上がるということよりも、社員全員がエンジンとなり機関車となる経営が実現するという点です。

つまり、経営者や幹部だけが先頭で引っ張って、あとの社員は後ろから付いていくだけという他律的な組織運営ではなく、全員が動力源を持ち、共通の目標やビジョンに向かって進んでいく自律協調型の組織運営が可能になるということです（次ページの図参照）。そしてその方向は戦略に合致したものであり、日々の仕事は長期ビジョンと整合したものになります。

これからの企業経営における付加価値の源泉は社員1人ひとりの頭の中です。つまり社員の頭の中に主力工場があると考えていただきたいのです。

その工場を稼動させるのは、社員自身の心です。手や足を動かすことは他人が強制できても、心や頭を動かすことは強制できません。無理矢理引っ張ることもできません。自ら発働し、自ら意思決定して動かしてもらわなければなりません。

だからこそ、社員全員がエンジンとなり機関車となるような経営が実現すれば、工場が一斉にフル稼動するようなもので、これで業績アップにつながらないはずはありません。

自律協調型と他律型の組織運営

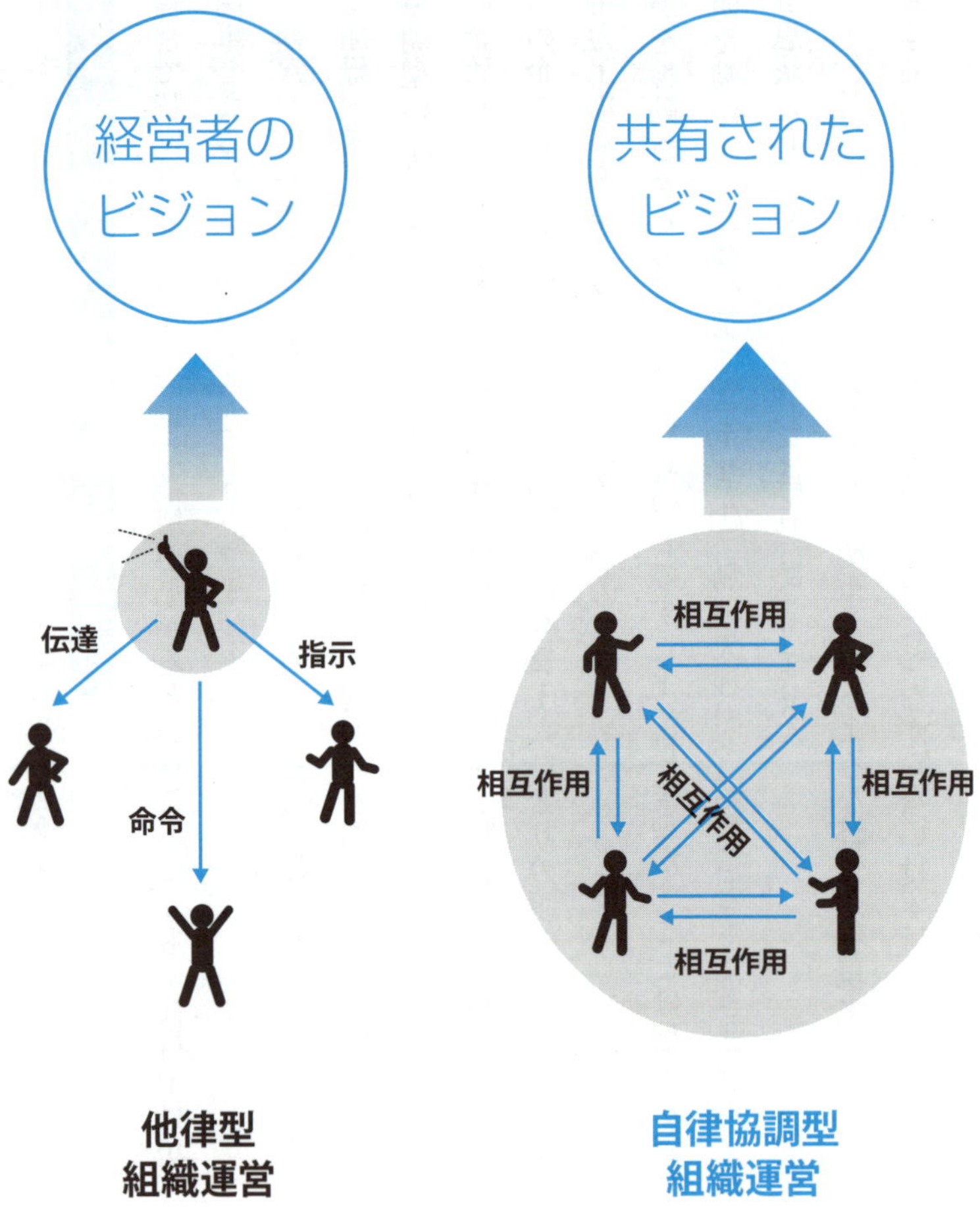

Column

若い人の採用難は企業の死活問題

人口の減少は、マーケット縮小と同時に、働き手の人材不足をもたらします。

2005年から総人口が減少に転じたのは先に指摘したとおりですが、すでに1990年代の後半から15歳から64歳までの生産年齢人口は減少に転じているのです。

当時はバブル崩壊後のリストラ時代ですから、大企業では人員削減が進み、新卒の採用は縮小されて「氷河期」とまでいわれたときでしたので、現役世代の減少が人材不足に直結せず、どちらかといえば、人は余っている状態だったわけです。

しかし、団塊の世代が一斉に定年退職を迎える「2007年問題」の影響もあって、2005年あたりから大手企業を中心に採用数が増えはじめ、2006年、2007年と一気に新卒採用は売り手市場へと逆転してしまいました。若年人口が減っているところに大手企業の大量採用が始まったわけですから、中堅・中小企業は非常に厳しい状況になっています。優秀な学生は、内定を5社も6社もとりつけ、どれにしようかと選んでいるのに対し、企業側はいつ内定辞退されるかと戦々恐々しているような事態に陥っています。

ちなみに、2000年と2005年で20歳～24歳の人口を比較してみると、2000年には842万人いましたが、2005年には735万人となり、たった5年間で約13%も減少しているのです。

これからも総人口を上回るペースで若年層の人口は減っていきますから、若手の人材の確保はますます厳しくなることは間違いありません。

若手の人材とは、人件費が安くて頑張ってくれる人材です。20代前半の社員に月給を30万円払うと言えば喜んでくれるでしょうが、40代50代の社員に月給30万円と言ったらどう反応するでしょうか。「子供の教育費もかかるし、家のローンもまだたくさん残っているので勘弁してください」となるのではないでしょうか。

比較的安い人件費で体力もあって頑張ってくれる若手の採用は企業の生産性を維持するためにも非常に重要な課題といえるでしょう。

もちろん、無理な採用をしても、若年層は転職に対する抵抗感も薄く、転職情報は世に溢れていますからすぐに退職されてしまっては意味がありません。これからの企業は、優秀な人材に選ばれる魅力を持つことを真剣に考えていかなければなりません。

Part3

社員や顧客が共感共鳴できる戦略のマップをつくる

人口増加のマーケット拡大時代は、自社に戦略性がなくても、他社との差別化ができていなくても、何とか横並び、後追いで頑張っていれば、成長もしくは現状維持が可能でした。

これからは企業の戦略性が問われます。人口減少でマーケットが縮小していく時代には、優れた戦略で他社に打ち勝っていかなければなりません。

可視化経営では、その戦略を可視化し全社で共有していくところに主眼があるわけですが、せっかく可視化してもその戦略そのものが戦略性のない、他社と横並びの、夢のないものであったら、可視化した意味がありません。全社員が「これなら勝てる」、「こうすればうちの会社は成長できる」と確信できるような戦略がほしいのです。

本章では、戦略をいかに考え、それをいかに可視化するかについて取り上げてみたいと思います。Ｐａｒｔ１で紹介した「見える化」を進める経営改革の具体的手順のなかで〈ステップ2〉、〈ステップ3〉に該当する部分です。

なお、本章では島根県にある米穀卸Ｑ社の事例を各所で取り上げていきます。Ｑ社の社員数は25名で年商は約30億円。すでに人口減少が進んでいる島根県と鳥取県の一部を商売のメイン地盤としており、将来ビジョンと戦略の策定が急務の課題となっています。

1 まず最初に20年後の自社の姿を想像してみる

社員自身のライフカレンダーをつくる

可視化経営の実現をめざすプロジェクトを立ち上げたら、最初に20年後の自社の姿を予測するというテーマで検討を行いましょう。

まず、プロジェクトメンバーと主要幹部のライフカレンダーを書いてみます。20年後に何歳になって、そのとき家族は何歳になっていますか？

プロジェクトメンバーである30代の若手リーダーも20年後には50代。定年が間近になっています。いまは小学生の子供も大学を出て、社会人です。給料も増えないと学費も出せませんね。マイホームのローンの支払いもあります。そのとき、会社は給料アップできる状態にあるでしょうか？

40歳の経営者も20年後には60歳になります。当たり前ですが、50歳なら70歳。そろそろ引退ですか？ そのときご子息は35歳？ それとも40歳？ 後を継いでくれるでしょうか？

後継経営者であれば、先代の会長（父上）は20年後、何歳になりますか？ いつまで会長に相談できるでしょうか？

いま、会社になくてはならないと思われている古参の幹部社員が50歳だったとすると、20年後には70歳。10年後には定年でいなくなります。それに対する備えは大丈夫でしょうか？　代役を果たせる人材は育っていますか？

マーケット予測に欠かせない人口推計

こういう感じで、プロジェクトメンバーや主要幹部の20年後を考えながらウォーミングアップしたところで、会社の20年後に移ります。20年後の自社のマーケットはどうなりますか？　業界の予測レポートなどがあれば、ぜひ調べてみましょう。

ここで、人口推計を必ず確認してみてください。国立社会保障・人口問題研究所のホームページを見れば、都道府県別、市区町村別で２０３０年までの人口推計が掲載されています。自社の対象商圏の人口は何％減少しますか？　それによって自社のビジネスにどういう影響があるでしょうか？　そのとき、同じ商圏内にいる競合他社はどう動いてくるでしょうか？　人材採用はできるでしょうか？　優秀な人材が来てくれるだけの魅力のある会社になっているでしょうか？

20年後には、地球環境はどうなっているでしょう？　技術の進歩はどういう影響をもたらすでしょうか？　人々の価値観やライフスタイルにはどういう変化があるでしょうか？　国際情勢は？

どうせ正確には予測できないのですから、むずかしく考えずいろいろ想定してみてください。専門家が予測しても当たらないことが多いのですから、厳密な未来予測は必要ありません。しかし、ある程度のイメージはつかんでほしいのです。

悲観的な将来が予測されたらどうするか

20年後の自分たちの人生や生活、また自社の姿をイメージしてみて、プロジェクト検討の場の空気はどうですか？「苦しいし、大変そうだけどやっていこう」という前向きな空気になっていますか？ 20年後に向けて、何かよいアイデアは出ましたか？ 新しい事業展開が見えてきたでしょうか？

ここで具体的なアイデアや成功イメージが出てくる必要はありませんが、場の空気が沈んでいないことを確認したいと思います。

ここで経営者も、プロジェクトメンバーも、「この会社では未来はないな」、「このまま会社にいても将来よいことはありそうにないな」という気分、雰囲気になったとしたら、残念ながら可視化経営を推進することはできません。

たとえ経営トップが可視化経営を推進しようと決断しても、現時点での有力メンバーにプラスのパワーを与えられないようでは、実現は厳しいといわざるを得ません。再度よく考えて仕切り直しをするか、メンバーの入れ替えを考えることです。

2

同業他社との相対比較からは独自性のある戦略は生まれない

自社にしかできない、自社がやるべきことは何か

経営戦略の究極の目標は、自社にしかできない事業を独占的に行い、他社とまったく戦う必要がない状態にすることです。

兵法の大家、孫子は「百戦百勝《ひゃくせんひゃくしょう》は、善《ぜん》の善なる者に非《あらざ》るなり。戦わずして人の兵を屈《くっ》するは、善の善なる者なり」と説いています。百回戦って百回とも勝利するというのは最善の戦い方ではなく、戦わずして勝利する道を見つけるのが最善の戦略である、と言うのです。これが究極の戦い方です。

まず、自社にしかできないことが何かないか、探ってみましょう。「そんなことがあったら苦労しない」と思われるかもしれませんが、どうしても見つからなければ、これからつくらなければいけません。

次に、自社がやるべきだと思えるビジネス、業務はありませんか？　これは絶対に自分たちがやったほうがうまくいくと思える仕事、自分たちが一番思い入れを持って取り組めると確信

できる仕事です。多少自惚れがあっても結構です。そう思えることが重要なのです。

さらに、「これは他社がやらないだろうな」と思える、辛かったり、大変だったり、面倒だったりする仕事はありませんか？　やろうと思えば他社でもできるけれども嫌がってやりたがらないだろう、という仕事です。

これは、中小企業では結構使える戦略立案法です。「こんな仕事、儲からなくて誰もやりたがらないだろう」という仕事に取り組んで、大きく飛躍した会社も少なくありません。他社が嫌がる仕事をやっていくと、いつの日か、他社はやりたくてもできない仕事になっていくものです。

例えば、ヤマト運輸の「宅急便」を考えてみてください。小さな荷物1つでも日本全国に運んで1000円程度の料金では採算が合いませんから、どの運送会社もやりたがりません。そんな仕事がうまくいくはずがないと考えるのが普通なのです。そこに自社にしかできないマーケットを創出する余地があります。

次に、セコムを考えてみてください。同社が創業した当時、会社の夜間の見回り警備は、その会社の社員などが交代で行う宿直が常識でした。顧客の側も警備を頼むという発想（ニーズ）自体がなく、また物騒な仕事でもあり他社では思いもつかないビジネスでした。

「自社にしかできないことなどない」、「自社には何のとり得もない」などと悲観的にならず、20年かけて自社の独壇場をつくればよいのです。20年もありますから、無から有を生むことも可能で、必ず将来ビジョンのマップが浮かんでくるはずです。

20年後の戦略に現状の競合分析は考えない

戦略立案をしようとするときに、まず最初に同業他社との比較から入ろうとする会社が少なくありません。「SWOT分析」とか「○○○の競争戦略」とか、自社と他社の強み弱みを相対比較しながら、業界内での自社のポジションを決めていく……というものです。

この方法は、マーケット（要するに業界）が拡大もしくは維持できることを前提にすれば有効ですが、マーケットそのものが縮小または消滅していく過程では、短期的な効力しか発揮しません。こうしたアプローチは必ず現状分析からスタートするからです。

現状とは過去の結果ですから、現状の強みや弱みを考えるということは過去を振り返るということになってしまいます。したがって、そこから発想された未来は、どうしても過去の延長線上に置かれたものになってしまいます。

また、先に現状分析を行うと、どうしても中小企業は同業のより大きな会社に経営資源で負けてしまうことになります。人材も資金も知名度も実績も豊富な相手と同じ土俵で戦おうとしても、夢のあるビジョンは浮かびにくいものです。

ポジショニングは他社の脅威から逃れてニッチで生き延びるためには有効ですが、勝ち抜くためには機能しません。あくまでも短期的なものです。可視化経営は20年先まで考えますので、短期的な競合との比較やポジショニングを参考にすることはあっても、それで戦略を立案するようなことはしません。現状分析や競合分析は、単年度や3年後、5年後を考えるときには必須であり、大切なことなのですが、ここではあえてそこから離れて20年後を考えるのだとご理解ください。

自社の経営資源にとらわれない発想を

20年先の将来ビジョンや戦略を考えるうえでは、現状の自社の経営資源にとらわれない発想が重要です。20年もあれば経営資源も補えるでしょうし、いまあるものもどうなるかわからないので、現有の経営資源の優劣を比較してもあまり意味がありません。

そうすると、マーケット分析などもあまり意味を成しません。いまあるマーケットなどどうなるかわかりませんし、いまからマーケットを創っていこうとしているのに、そのマーケットがどうなっているかなど、誰も調べることはできません。

新規のビジネスを展開しようとすると、世の中にあるマーケット調査のデータはまったく役に立ちません。過去を示すデータがいくらあっても、未来を見通すことはできないのです。そもそもマーケット調査自体がないので、データも入手できません。

そう考えれば、顧客の要望を聞くこともあまり意味を成さないことになります。顧客の多くは世の中にないものをイメージしていません。いまあるものの中でニーズを認識しているだけです。顧客満足度調査などをしても、現状の不満はわかっても、未来の戦略は見えてきません。

顧客からのヒアリングやアンケートで収集できるようなアイデアは、それこそ競合他社も取得できるようなものだと考えるべきです。参考にすることはあってもそれによって未来を創ろうとしてはいけません。自社が未来を創り、顧客をその未来へとリードしていくことを考えるのが長期戦略です。

マーケット調査や分析をして、顧客のインタビュー調査、満足度調査で浮き彫りになる未来は、すでに多くの人に見えている未来であって、見えないものを可視化する未来にはなりません。

そうした分析で、有望なマーケットが見えてきたとしても、中小企業ではそのマーケットを席巻するだけの経営資源をすぐに用意できません。こうした手法は経営資源の豊富な大企業のアプローチだと中小企業経営者は肝に銘じてください。

長いスパンで事業承継、代替わりを考えてみる

では経営資源のない中小企業はどうすればよいのか。20年もありますから、いくらでも手は打てるのですが、1つ例として挙げるとすると、事業承継、後継者へのバトンタッチを考えてみてください。そのための20年です。経営資源の不足を補うのに充分過ぎるくらい時間があります。

例えば、島根県の米穀卸Q社（68ページ参照）では、20年後のビジョン実現のため、現在高校1年生の息子さんに農学部に入って米作りの研究をしてもらうことを決めました。

Q社は米のプロです、と言いたいところですが、米穀卸ですから、精米技術や米袋のデザイ

ン、小売店での販売方法、米の銘柄などには詳しいですが、農薬や肥料をどうすればおいしくて安全なお米が作れるのか、どうすれば害虫から稲を守ることができるのか、品種の改良はどうすればよいのか、地球温暖化で平均気温が上がるなかで米の産地はどうあるべきなのか、といったことは素人に毛の生えた程度の知識しか持ち合わせていません。

しかし、これから人口も減って、当然お米を食べる量も減っていくなかで、Q社が生き残るためには、米作りから関与していきたい。関与してはいきたいけれども、専門家などはいないし、現時点でいたとしても充分に活用する体制があるわけでもない。将来は必要だけれども、いまはいても意味がない……。こうしたときに、同族経営のよさが出てきます。

幸い、Q社の社長には息子さんがいて、親子で将来について話し合ってもらいました。現社長も2代目です。先代の社長が倒れて、急遽事業を継ぎました。

人口も減っていくなかでお米のビジネスも楽ではないわけです。食管法に守られていた時代とは違うのです。そうしたことも話し合ってもらい、Q社が将来、米穀ビジネスで勝ち残っていくためには、米作りの専門的な知識が必要であることを伝えたわけです。

その結果、高校1年生の息子さんも自分の将来ビジョンが描けたのでしょう。まだ事業を継ぐかどうか決意が固まったわけではありませんが、後継経営者になるにせよ、ならないにせよ、米作りについて研究してみたいというビジョンを持ってくれました。「米屋の息子に生まれたのも何かの縁だから」という理由で充分です。

後継者が農学部に入れば、そこで大学の先生との出会いもあるでしょうし、同級生たちとも知り合いになります。仮に息子さんがQ社を継がなくても、そうした人脈をつくってくれるでしょう。大学に入るのは2年後。大学院まで進んでも8年後には米作りの専門知識を持った人材を確保することができます。

こうした経営資源の制約を、同族を使って排除することも中小企業だからこそできるし、中小企業はこうしたことを考えないとなかなか経営資源の確保ができません。

アイデアはあっても人がいなければ実現できないことが結構あるものです。大企業であれば、金にものをいわせてスカウトでも引き抜きでもして人材確保もできるでしょうし、企業買収なども可能でしょう。

しかし中小ではそんなことをやるお金がそもそもありません。人はほしいと思ってもなかなか計画どおりには確保できません。特に専門知識や技能を持った人材はそうでしょう。この制約を超える方法が後継者であり同族です。

自社が一番になる可能性のあるものを見つける

さて、同業他社との相対比較やマーケット分析などから離れ、現状の経営資源の制約を外しても、自社にしかできない、自社独自のビジョンが見えてこない、どうしてもイメージできない場合には、やむを得ず競合との相対比較になってしまいます。

こうした場合は、領域や切り口、分野などを限定して、自社が一番といえるもの、もしくは現時点では一番でなくても充分に一番になれる要素を持っているものを見つけるステップに進みます。

これはどの会社でも何かしら見つかるのではないかと思います。「○○県内で、△△をやらせたらうちが一番だ」とか、「○○業界で、△△の技術を使って◇◇を作らせたらうちが一番だ」というものです。広い範囲でむずかしければ、どんどん限定し、領域を狭めてみてください。何か見つかるはずです。

ここで大切なことは、とにかく〝一番〟ということです。他社と比べて強いとか優っているというだけではダメです。どうしても曖昧になって、未来を考える核になりません。

一番にもいろいろあって、「一番長くやっている」、「一番最初に始めた」、「一番たくさん作った」など、未来の核にできる一番の切り口が結構あるものです。必ずしも売上が一番である必要はありません。

「一番長くやっている」という切り口は、いまは二番手でも、一番の人がかなり高齢なら、20年のスパンで考えれば、やがて一番の座がころがりこんでくることになります。

「元祖」とか「本家」といった商売は、嘘の表示も多いですが、嘘をついてまで「元祖だ」、「本家だ」と名乗りたいのは、それがビジネスをするうえで価値があるからです。

嘘はまずいですが、本当に「元祖」、「本家」と名乗れる条件を整えれば、一番の領域をつくることができるということです。そしてこれは後発企業には逆転ができないものです。時間の長さは、後から追いかけることができません。「老舗」の強さは逆転不可能な時間の積み重ね(歴史)にあるわけです。

「一番」という切り口が2つ揃えば鬼に金棒

「一番長くやっている」という切り口に、「一番たくさん作った」という切り口を加えられたら、その強さはまさに鬼に金棒です。

例えば私は、「日報を活用したコンサルティング日本一」です。「日本一」と言うためには根拠が必要です。まず、私が初めて日報に関する本を書いたのは1995年の7月でした。『日報で人材を育てる68のヒント』という、本書と同じ実務教育出版から出た本です。

この時点で日報をテーマにした本を書いていたコンサルタントは私以外に2名いました。ニッチなテーマですが、書いている人がいるものです。つまり、この時点で私は3番手でした。あとの2人は、私よりかなり年長で、日報をテーマにした本は1冊書いたきりです。

その後私は、『営業日報を活性化せよ』、『グループウェア日報活用法』、『IT日報で営業チームを強くする』という本を書き、日報4部作の著者となりました。いま、一番たくさん日報の本を書いているのは私です。

さらに、私の前を行く2名のコンサルタントは、著書のなかで紙の日報を扱っているだけですが、私は1998年以降、IT日報を開発し、紙の日報だけでなくIT日報も手がけました。紙の日報では3番手でも、IT日報と紙の日報の両方を活用したコンサルタントという切り口にすれば、私が1番手です。

最初の本を書いたころには、まだパソコンもあまり普及していませんでしたが、その後アメリカで生まれたＳＦＡ（営業支援システム）が日本にも入ってきて、ＩＴ日報のような類似のシステムが出回るようになりました。なかには私が開発したＩＴ日報を真似したようなものもあります。システムの機能はすぐに真似ができてしまいますから、後発の参入が今後もあるでしょう。

しかしＩＴ屋さんがつくるＩＴ日報がどれだけ出てきても、紙の日報の時代から日報に取り組んでいた私より早くから日報に取り組んできた人は出てこないでしょう。可能性のあるのは、２名のコンサルタントだけです。しかしいまさら参入してきても、私はすでに98年以降、２０００社のＩＴ日報導入実績を持っていますから、そう簡単に追い越すことはできないでしょう。

私の自慢話みたいになってしまったのでこれくらいにしておきますが、要するに一番になるように意識して事業展開をするということと、一番になったら強いし、そう簡単に追い越せないということを理解していただきたいのです。

すぐに一番になることはできなくても、ある程度の時間をかければ可能なのです。そして私でも日本一になれたように、領域の絞り方や切り口によって一番は結構実現できるのです。

3 事業ドメインを設定し直すことで未来が見えてくる

固定観念に縛られた事業ドメインの弊害

以上述べてきたように、独自の戦略を考え、現時点での経営資源の制約を外し、一番の領域を探していくときに、最も障害になるのが、「自社は何業（何屋）だ」と考える事業ドメインの固定観念です。

多くの人は、政府が統計データをとるために決めた標準産業分類というカテゴリーによって自社の事業を定義しています。「○○製造業」とか「○○小売業」というものです。これは、大分類、中分類、小分類などに細分化されています。

なぜ分類ができるかというと、似たような事業を行っている事業者が統計を取るほど多いからです。似たような事業を行っている事業者が少ない場合、産業分類では「その他」に入れられてしまいます。

人口増加のマーケット拡大期には、新しい分類ができると同時に同業組合ができ、関係者は「ようやく業界として認知された」と喜んでいたものです。業界として認知されるだけのマーケットに拡大したというのがその喜ぶ理由であり、もう「その他」の分類ではないのだという、わけのわからない安心感でしょうね。

同業組合ができて政治献金をして、業界の秩序を乱さないようにしていけば、マーケットの拡大と共に横並びで成長できたのがマーケット拡大期です。しかし今日、こうした発想、思考の枠組みから脱却しなければなりません。すでに似たようなことをやっている事業者が何千、何万といる枠組みで考えていては独自性のある戦略は生まれないのです。

自社ドメインの機能的定義を考える

既成の事業ドメインは多くの場合、物理的定義がなされています。ネジを作っていたら「ネジ製造業」です。自動車を作っていれば「自動車製造業」です。ネジとか自動車とか物理的存在に着目して定義するのを「物理的ドメイン設定」といいます。

これを「機能的ドメイン設定」に変えていかなければなりません。これは、物理的に何を作っていたり、扱っていたり、売っていたりするかは別にして、そのことがどのような効用や機能を実現しているのかに着目した定義です。

例えば、薬品メーカーは薬を作っているのだから「医薬品製造業」としたら、これは物理的定義です。しかし、薬によって健康を回復するという効用を実現していると考えれば、「健康回復支援業」とも定義できます。こうしたことが機能的定義です。

また、物理的定義の「自動車製造業」は、機能的定義として「人とモノの搬送・移動支援業」としてもよいわけで、いろいろな独自性のある定義が可能になります。だから自社独自の定義ができるわけです（次ページの図参照）。

さて、あなたの会社のドメインは何業、何屋さんと定義できるでしょうか。従来の物理的定義を捨てて、機能的定義に挑戦してみてください。ここでは最終の確定でなくて結構です。多少長ったらしくなっても、語呂が悪くてもいいですから、物理的定義から機能的定義に発想を変えてみましょう。

先ほど例にあげた米穀卸のQ社は、まさに「米屋」、「お米の卸売業」と自社を定義していたわけですが、「主食を通じ、おいしさとあんしんをお届けする会社」（おいしさ・あんしん提供業）と定義し直しました。

そのことで、ただ玄米を仕入れて、精米し、米袋に詰めて、小売店に並べるという領域から飛躍して、「どういう米作りがおいしい米を生むのか」、「農薬を減らして安心して食べられるようにするにはどうするか」、「その土地の気候風土に合った米の銘柄は何なのか」といったことまでを、自分たちの問題として捉えるようになりました。

それまでは、米の生産者と協業して契約栽培をするようなことがあっても、「うちは卸だから」、「それは生産者に任せておけばよい」といった言葉で思考を断ち切っていたのです。

確かにそれで儲かっていた時代にはそうした割り切りが効率もよかったわけですが、いまはそれだけでは付加価値がありません。どこの米穀卸でも同じようなことができるわけです。その発想を転換させるベースが、事業ドメインの機能的定義です（102ページのコラム参照）。

物理的ドメインと機能的ドメイン

物理的ドメイン設定

▽印刷業
▽システム販売業
▽ガス会社
▽経営コンサルティング業
▽ガードマン派遣業
▽化粧品製造業
▽飲料製造業
▽出版社
▽テレビ局

機能的ドメイン設定

▽販促支援業
▽業務改善業
▽快適生活提供会社
▽経営改善実現業
▽安全・安心提供業
▽美人美肌創造業
▽爽快感清涼感提供業
▽知識・文化伝達会社
▽娯楽・情報配信業

将来ビジョン、戦略ストーリーを描く

機能的ドメインが設定できたら、そこからまた20年先までの将来ビジョン、戦略ストーリーを描いてみましょう。

Q社では、「おいしさ・あんしん提供業」と定義した瞬間に、「おいしい米飯を直接消費者にお届けすることはできないか」という発想が出てきました。そして、「安心なお米をおいしく消費者にお届けするには、自社で精米、炊飯し、直接消費者の口に届ける必要があるのではないか」と発想が発展したわけです。

それまでは、同じようなアイデアや意見が出ても、「既存顧客とバッティングする」、「うちがそんな消費者相手のビジネスをしてもうまくいかない」、「ノウハウがない」と即座に否定されていたのに、です。

さらに、従来から取り組んできた有名産地の有力生産者との取り組みにおいても、栽培方法や農薬や肥料の使い方、トレーサビリティ、土地改良、水質保全、玄米の保管方法など、踏み込むテーマが広がってきました。

米作りは、国の農業政策や食糧政策によって影響を受けますが、どうしても全国一律、県内一律といったお上主導の動きになるために、生産者が独自に工夫、改良する余地が狭まってきます。また、せっかく工夫、改良してもそのお米に付加価値をつけて売らないことには苦労が無駄になるのですが、一生産者ではそれもむずかしいし、インターネット販売なども まだ市場

が限られています。

そうしたなかでQ社がおいしいお米が作れる気候風土や地質、水質などを研究し、そこで熱心に減農薬や有機栽培などの努力をしている生産者と協力し、独自基準やワンランク上のおいしい米作りのノウハウを研究していくことで、おいしさと安心を実現しようという発想に変わってきました。

そのなかで出てきたのが、先に紹介した息子さんの農学部行きの話です。いまは、Q社内に専門家はいませんから、各県の農業指導センターや各地のＪＡの専門家に指導してもらいながら進めています。しかしこちらが素人であるために、それが本当に正しいのか、もっとよい方法はないかと深めていくところが弱いわけです。また、Q社だけを特別扱いにはしてくれませんので、聞かれれば他社にも同じように指導します。これでは他社との差別化が不充分です。

そこで、息子さんに大学の農学部に入ってもらって、新しい情報源、知識源を独自に手に入れようと考えたのです。時間のかかることですが、だからこそ、他社がなかなかやろうとしないし、やろうとしてもすぐには追い付けない差をつけることができるのです。

暖かい地方では米の二期作も可能ですが、ほとんどの産地では新しい挑戦は年に1回きりです。そこで得たノウハウや教訓は次の年の秋を迎えないと成果があったかどうか判断できません。そこで失敗だったら1年を棒に振ることもあるわけです。

そういう事業だからこそ、大企業が経営資源を投入して一気に参入するということもないですし、先に将来のビジョンを描いて、早く着手した企業が勝ち残ることができるのです。

4

20年後に向けたわが社のビジョンマップをつくる

バランス・スコアカードの考え方をベースに

いよいよ20年後のビジョンマップをつくってみます。この時点では、自社の将来像や一番になるポイント、経営資源の限界やそれを補うためのアイデアなどがバラバラに浮かんできている状態です。これをビジョンマップに落とし込むことで整理していきます。

戦略のマップ化については、ハーバード大学のロバート・S・キャプラン教授と経営コンサルタントのデビッド・P・ノートンが1992年に発表した「バランス・スコアカード」という経営手法が有名です。本書で紹介する手法は、このなかに登場する戦略マップをアレンジしたものです。

「バランス・スコアカード」では、日々の活動に落とし込むスコアカード（後で詳述）にリンクさせる関係で、どうしてもそのマップが戦略的というよりも戦術的なものになり、単年度の目標をマップ化したものになりがちなため、私は「ビジョンマップ」、「戦略マップ」、「戦術マップ」の3つのマップに展開することをおすすめしています。この3段階でマップを描いたほうがより戦略的な思考ができると思うからです。

「バランス・スコアカード」については、すでによくご存じの方も多いと思いますが、本書で「ビジョンマップ」と呼んでいるのは、「バランス・スコアカード」の戦略マップを20年後にシフトさせたものだとご理解ください。同じように、財務の視点、顧客の視点、業務プロセスの視点、人材と変革の視点の4つの視点でビジョンを整理していきますが、1つ違う点があります。

通常の「バランス・スコアカード」では、戦略マップはそのままスコアカードと直結しているので、戦略マップ上の戦略目標（1つひとつの目標項目）は数値基準などはなく、抽象的な表現でよいことになっていますが、本書のビジョンマップは、それだけを見て20年後の将来像が見えることを重視しているので、マップを見た人がイメージしやすいように数値基準や具体名なども入れ込んでいます。

「バランス・スコアカード」はすでに15年以上前に発表された手法であり、多くの解説書も出版されていますので、本書では詳しい説明は省略しますが、可視化経営の実践のためには「バランス・スコアカード」の考え方についても勉強するとよいでしょう。特に、キャプラン教授と一緒に仕事をしていた本場仕込みで、日本での第一人者、横浜国立大学の吉川武男先生の本をお読みになることをおすすめします。私も年に2回は先生をお招きしてセミナーを行っていますが、とても話がわかりやすくて楽しい先生です。また、私の著書『可視化経営』（中央経済社刊）でも、「バランス・スコアカード」を解説していますのでご参照ください。

【事例】島根県の米卸商・Q社の現状

さて、Q社の例に戻りましょう。Q社のある島根県の人口は、2005年が74万2000人。2020年には65万6000人へ約12％減少が予測されています。お隣の鳥取県は、2005年が60万7000人で、2020年には56万1000人へ約8％の減少です。

山陰地方はすでに1990年代から人口減少がスタートしています。この減少率は低いように見えますが、すでに人口減少のダメージを受けている状態だとご理解ください。

Q社も近県の広島や岡山、山口などに少しずつ販売先を広げながらここ数年売上横ばいを維持してきましたが、広島や岡山でも人口が減少してきましたから、このまま地元にこだわっていたのでは、経営がジリ貧になるのは明らかです。それは社長もイヤと言うほど認識していて、「おいしさ・あんしん提供業」への革新を決断したわけです。

おいしさと安心を提供するわけですから、生産から消費者のお口までの一貫したルートを自社で確保したいところです。そこでQ社では日本の主食を使った究極のファストフードであるおにぎりに着目しました。お米のおいしさをダイレクトに伝えられるファストフードです。

生産段階では、すでに秋田の「あきたこまち」を集荷するための会社を秋田に設立していたのですが、やはり顧客に人気の高い「コシヒカリ」は、新潟の魚沼産は高くなり過ぎているので隠れた名産地である佐渡、「ひとめぼれ」は岩手の江刺、そして地元島根の幻のお米と呼ばれる「仁多米」を作る仁多とのネットワークを構築し、有名産地の有名ブランド米をおいしく安全に確保し、同時に産地の自然環境を保護し、水資源などを大切にする取り組みを生産者と一緒になってやっていきます。

販売先は当然、首都圏を中心とした消費地に広げていかなければなりません。将来的には本社の移転も視野に入れています。ただし、おにぎりショップは競争の激しい首都圏を避けて地元の中国地方へ展開します。ここに地元志向の社員の雇用の場を確保しました。

単に、生産者からお米を集荷して、全国に販売するだけなら、他社でも簡単にできてしまうのがお米ビジネスです。したがって生産段階からの協働した取り組みが欠かせません。栽培のプロである生産者に、有益な情報提供やサポートをすることで農業経営を成立させなければなりません。そこで有力な生産者との協力関係を築いて、単独の生産者や各地のＪＡではむずかしい、複数のブランド米の品揃えを実現します。各生産者は自分たちが作ったお米を販売することはできますが、他の産地のお米と合わせて品揃えができません。そこはＱ社の出番です。各小売店の特性に合わせて、最適な品揃えと企画で販売提案を行っていきます。

従来の地元の販売先もありますから、これについては、隣県の鳥取にある同業のＨ社と経営統合し、物流効率を上げると同時にお米のプロを人材確保します。Ｈ社は後継者がおらず売上は約20億円で社員は18名。Ｑ社と統合することで売上50億円、社員数43名となります。

［事例］２０２５年に向けたＱ社のビジョンマップ

これを18年後の２０２５年（キリのよい年に設定）には、全体で年商80億円、経常利益２億円、社員数60名にするというビジョンを掲げ、それを地図にしたのが次ページのビジョンマップです（守秘義務があるので、多少デフォルメしています）。

単に経営者がこのビジョンを発表しても、「現状がこんなに大変なのに、そんなことが実現するわけがない」と社員に思われて終わりですが、ビジョンマップを描いて提示すると、「まぁ、そうなればなるかもね」くらいの認識にはなるはずです。

「絶対うまくいく！」などと確信が持てなくてもよいのです。「確かに可能性があるし、どうせ仕事をするなら、ぜひめざしたいね」という感覚を持って、どこへ行こうとしているのかがわかればよいのです。ビジョンマップを見た社員から、「ワクワクしますね」、「楽しくなりそうですね」「挑戦するだけの価値はありますね」といった声が上がってくれれば大成功です。

逆に、簡単に実現しそうだと思われることでは、他社でもできるようなことでしょうから、戦略性に欠けている可能性があります。簡単にはできないし、実現するためには相応の時間がかかる。それを地図に描いて、いまからめざしていくから、夢のように感じた未来が現実になるのです。その未来とは、ビジョンマップどおりではなく、途中で修正されたものになるでしょうが、少なくとも現状のまま成行きで進んだときの未来とは違うものになるということです。

ビジョンマップが一応完成したら、そこで改めて事業ドメインの定義が妥当かどうか、ビジョンマップを実現した会社の事業ドメインとしてふさわしく、わかりやすいものになっているかどうかを再検討します。

2025年に向けたQ社ビジョンマップ

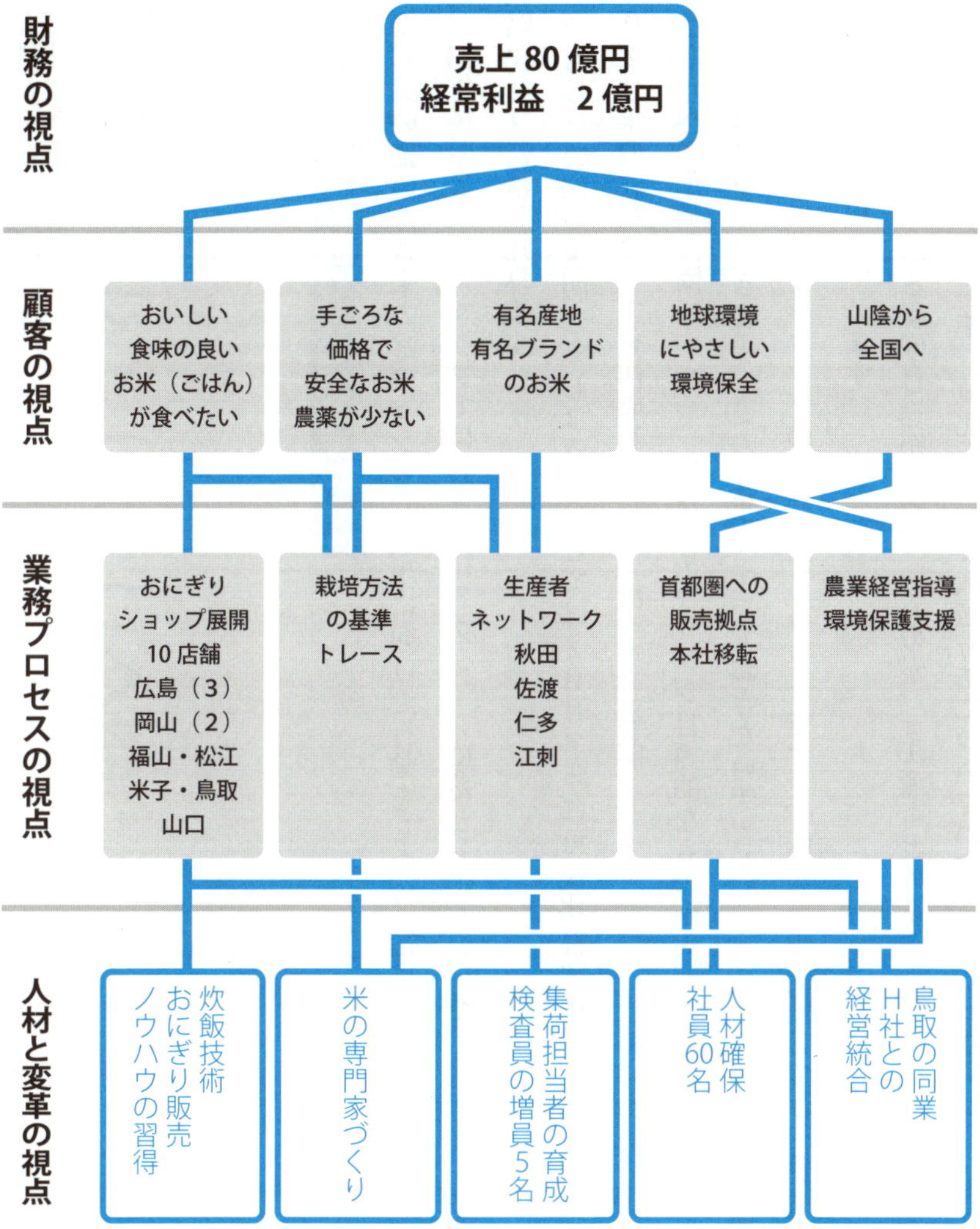
財務の視点
売上 80 億円
経常利益　2 億円
顧客の視点
おいしい
食味の良い
お米（ごはん）
が食べたい
手ごろな
価格で
安全なお米
農薬が少ない
有名産地
有名ブランド
のお米
地球環境
にやさしい
環境保全
山陰から
全国へ
業務プロセスの視点
おにぎり
ショップ展開
10 店舗
広島（3）
岡山（2）
福山・松江
米子・鳥取
山口
栽培方法
の基準
トレース
生産者
ネットワーク
秋田
佐渡
仁多
江刺
首都圏への
販売拠点
本社移転
農業経営指導
環境保護支援
人材と変革の視点
炊飯技術
おにぎり販売
ノウハウの習得
米の専門家づくり
集荷担当者の育成
検査員の増員5名
人材確保
社員60名
鳥取の同業
H社との
経営統合

5

3年後の戦略マップ、単年度の戦術マップをつくる

［事例］3年後に向けたQ社の戦略マップ

せっかく思い描いた将来のビジョンも、実現に向けた行動をしなければ意味がありません。10年後、20年後のビジョンマップでは具体的にアクションに落としにくいので、次に2～3年後の戦略マップに落とし込みます

ここでもQ社の例で説明しましょう。Q社では2007年に可視化経営に取り組み、3年後、2010年の戦略マップを作成しました（次ページ参照）。

2025年への準備段階ですから、何点かチャレンジ目標的なものが入ってきますが、かなり現実的な内容になってきます。この3年でやっておきたいチャレンジは、「首都圏への販売実績づくり」と「おにぎりショップの実験店オープン」です。実験店は中国地方では一番大きな都市である広島を狙っています。

現状の取り組みからある程度目途が立っているのが、「生産者とのネットワークづくり」と「特別栽培米と呼ばれる減農薬、減化学肥料の栽培方法についての取り組み」です。

2010年に向けたQ社戦略マップ

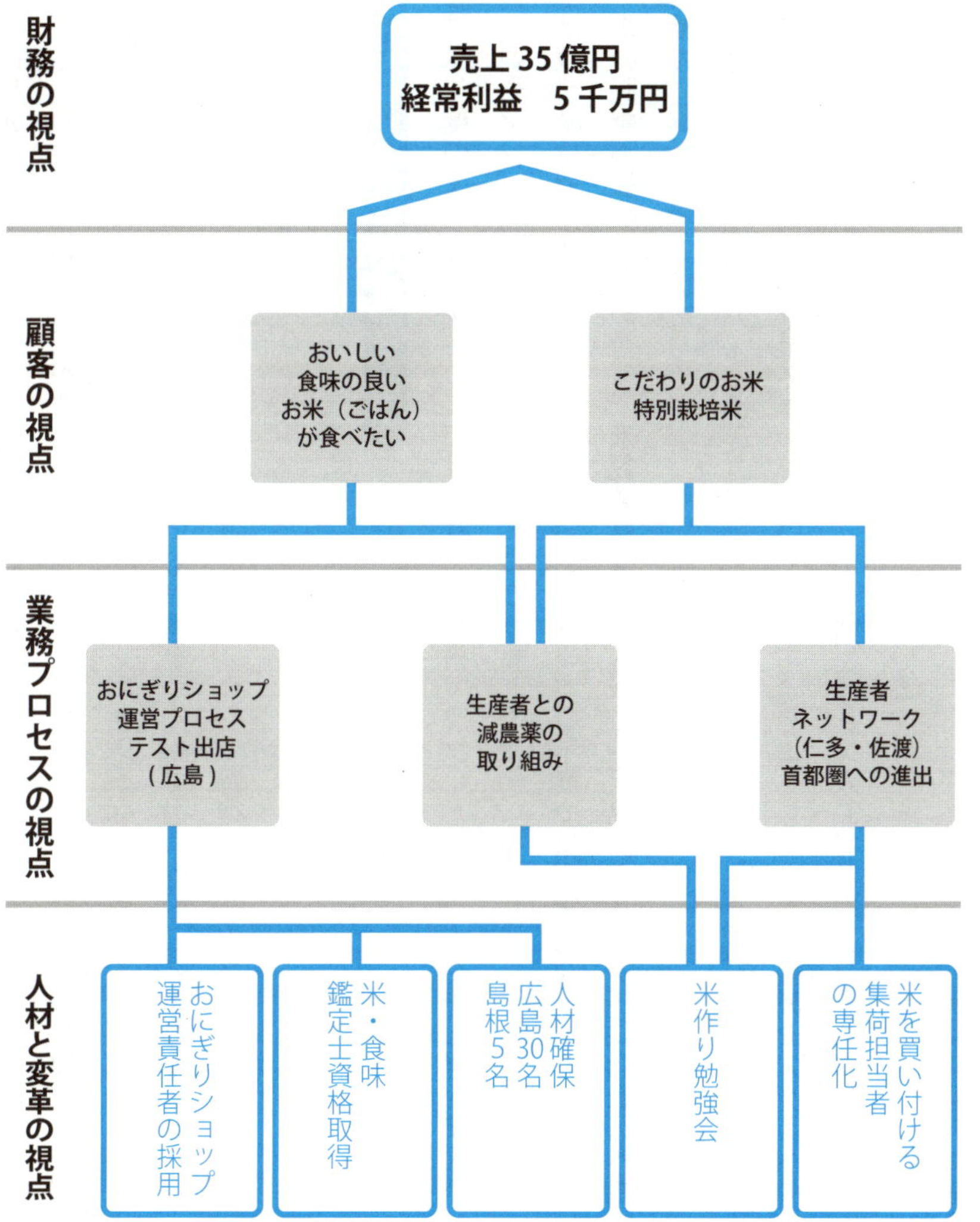
財務の視点
売上35億円
経常利益　5千万円
顧客の視点
おいしい食味の良いお米（ごはん）が食べたい
こだわりのお米
特別栽培米
業務プロセスの視点
おにぎりショップ運営プロセステスト出店（広島）
生産者との減農薬の取り組み
生産者ネットワーク（仁多・佐渡）首都圏への進出
人材と変革の視点
おにぎりショップ運営責任者の採用
米・食味鑑定士資格取得
人材確保 広島30名 島根5名
米作り勉強会
米を買い付ける集荷担当者の専任化

生産者は地元の仁多と、すでにコンタクトしたことがある新潟の佐渡との話を進めていきたいと考えています。現状で人気があるのは何しろ「コシヒカリ」なので、その産地を先に押さえなければなりません。これまでは秋田だけで、インパクトが弱かったのですが、この品揃えを持って首都圏の高級スーパーへスポットでも実績をつくっておきたいところです。

人材と変革の視点では、米作りや食味鑑定などのノウハウ習得と集荷担当の専任化などを進めていきたいと考えます。

【事例】単年度のQ社の戦術マップ

そして単年度のマップです。ここではこれを「戦術マップ」と呼んでみたいと思います。

Q社の戦術マップは次ページのようなものになりました。

売上は現状維持で、何とか利益確保したいというのが単年度では現実的なところです。人口減少や米の販売不振などがあって、米穀業界はどこも厳しい状況にあります。Q社も例外ではありません。

地元では有力な食品スーパーを顧客に持ち、永年の実績もあって客数は落ちてはいませんが、価格競争も激しく、利益率ダウンが続いています。そこへもってきて物流センターへの納入がスーパー側から要求され、センターフィーを別途支払う必要も出てきました。おかげで、前年度は利益トントンというところまで落ち込んでいます。

こういう状況ですから、いくら2025年のビジョンがあっても、単年度ではまず利益確

単年度のQ社戦術マップ

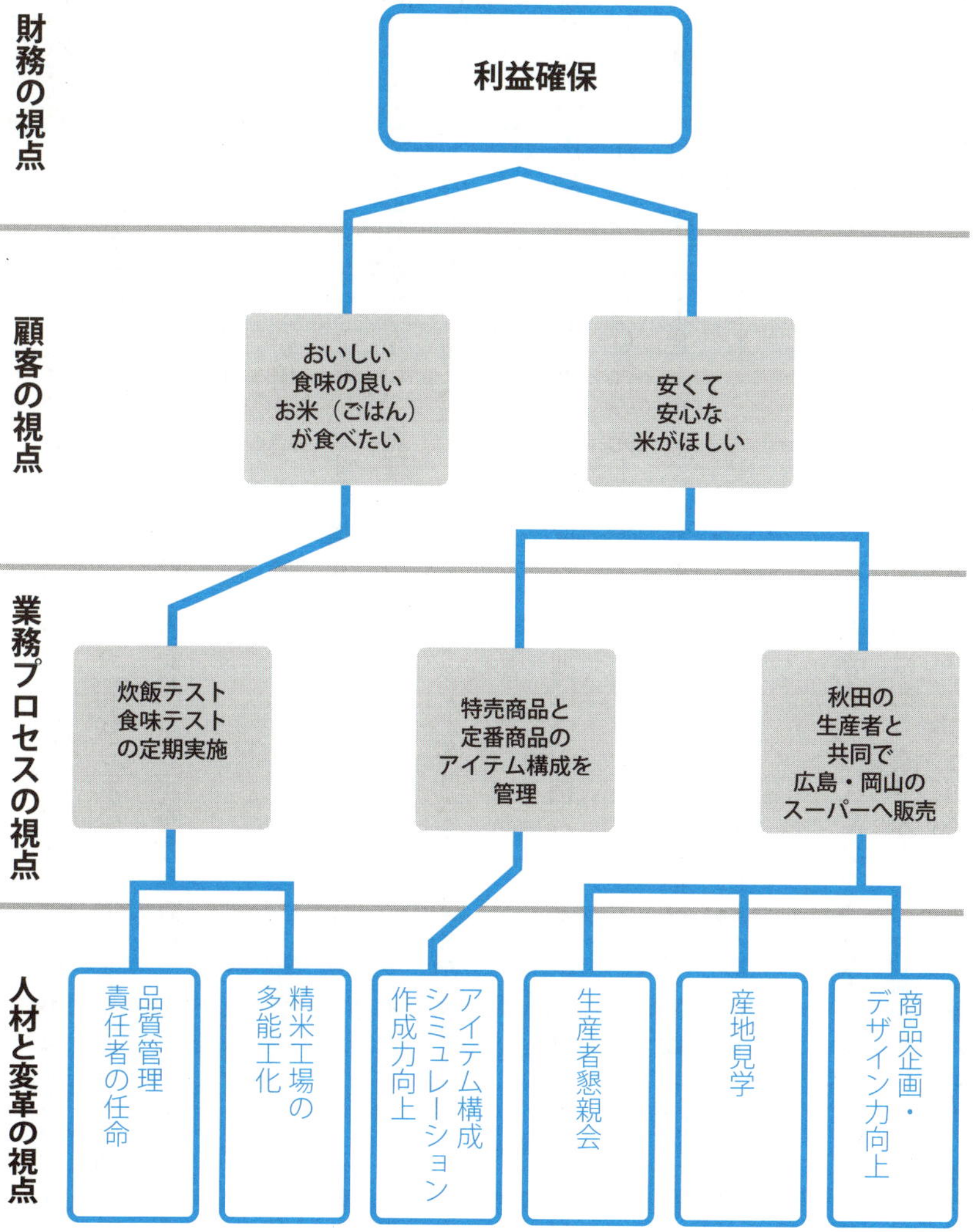
財務の視点
顧客の視点
業務プロセスの視点
人材と変革の視点
利益確保
おいしい食味の良いお米（ごはん）が食べたい
安くて安心な米がほしい
炊飯テスト食味テストの定期実施
特売商品と定番商品のアイテム構成を管理
秋田の生産者と共同で広島・岡山のスーパーへ販売
品質管理責任者の任命
精米工場の多能工化
アイテム構成シミュレーション作成力向上
生産者懇親会
産地見学
商品企画・デザイン力向上

保。これが財務の視点です。

顧客の視点では、「おいしいお米（ごはん）が食べたい」というニーズは不変ですが、安くておいしいという価格条件付きです。安くないと買ってもらえない現実があります。そのなかで利益を出すためには、特売で利益の取れない目玉商品と、定番化されて一定の利益が取れる商品のアイテムバランスを調整するしかありません。

お米ですから、一気に売上が倍に増えたりはしません。あるアイテムが売れれば、その分、他のアイテムの売上が減ってしまいます。地元のスーパーではQ社のインストアシェアが高いですから、あるアイテムを特売して無理に売ろうとすると、定番の儲かるアイテムが売れなくなるわけです。このアイテム構成のシミュレーションを先行させることがまず必要になります。

そのうえで、広島や岡山など近県で販売量の多い地区への納入を増やしていきます。ここはスポットで入れれば、その分Q社の売上増です。

しかし単に「お米はいりませんか～」と営業に行っても、どこの地区にも米穀卸は必ず存在していますから、相手にしてもらえません。そこで秋田の生産者と協働して販促企画を立てようとしています。

表示偽装や消費期限改ざんなど、昨今は食品事故が多発していることから、Q社でも品質管理の徹底が必要となります。しかし人を増やす余裕はありませんから、利益を確保するためには、精米工場の人員を多能工化して経費を削減していくことが必要です。業務の繁閑の差が結構ありますので、空いた時間で複数の作業をこなすことができるような人材育成が求められます。

こうしてでき上がるのが戦術マップですが、かなり現実的で、あまり夢はなく、戦略とは呼べないようなものになりがちです。２０２５年の「ビジョンマップ」から２０１０年の「戦略マップ」、そして単年度の「戦術マップ」へと落とし込んでいるからよいのですが、一般の「バランス・スコアカード」でよく作成されるような単年度の戦略マップ（ここでは戦術マップ）だけだと、自社の戦略というよりも単年度の経営方針を地図にしただけのようになってしまうわけです。

社員や顧客が〝真・善・美〟を感じ、共感共鳴できるか

それまで経営者にも見えていなかった将来ビジョンが見えるようになり、経営者だけが見ている未来を社員全員にも見えるようにする戦略の可視化を進めてきたわけですが、可視化されたビジョンや戦略は、〝真・善・美〟の価値観にあったものになっているでしょうか。

それを社員に見せたときに、共感し共鳴してくれて、「ぜひ、実現したい」と思ってくれるようなものになっているでしょうか。ただ儲かればよいというものでも、ただ成長できればよいというものでもなく、本物であり、善いことであり、美しくカッコイイものである必要があります。

さらに考えておきたいことは、顧客にそれを見せても共感、共鳴してもらえるかということ

です。実際に見せるかどうかは時と場合によりますが、顧客に見せられないようなものは本物ではありません。どこかに無理やゴマカシが入り込んでいるはずです。「あぁ、そういうことをめざしてやってくれるならいいね」と思ってもらえる内容であるかどうか、吟味してみてほしいと思います。

また、協力業者や統合、提携する相手企業などにも見せられるものでなければなりません。例えば、Q社の例でいえば、統合予定のH社の経営者や社員にビジョンマップを見せ、「一緒になってこういうことをやっていきたいと考えているのだが、どうだろうか?」という話ができなければなりませんね。

そこで戦略の可視化が効いてくるともいえます。単にお互いの会社を金銭価値で評価し合って、いくらで買うか、いくらなら売るかといった話をしているだけでは、統合してもうまくいきません。人は心で動くからです。金をもらえる経営者（オーナー）は納得しても、実際に働いてくれる社員は納得しないでしょう。

Q社では、各地の生産者にもビジョンマップを見せる必要があるでしょう。有名産地で、有力な生産者であれば、他からもいろいろな声がかかります。そのなかでQ社と協力してやっていこうと思ってもらうためには、見えない未来を見てもらうしかありません。それがなければ単に価格で、「高く買ってくれるなら売るけど、他に高く買ってくれるところが出てきたら知らない」という関係になってしまうのです。

こんなことになったら相場でどこからでもお米を仕入れればよいのであって、生産者との取り組みは成立しません。年に1回しか収穫できず、天候や異常気象などで作柄が左右される農産物を扱う信頼関係は構築できません。

経営者自身が、やりがいを感じ、実現することに魅力を感じ、社員もワクワクし、ぜひ協力したいと思い、社外の関係者もぜひやるべきだし、よいことをしようとしていると感じるビジョン、戦略を練ることが可視化の前提なのです。

Column

「○○業」とどう名乗るかで将来が決まる

事業ドメインの物理的定義と機能的定義の違いについて最初に指摘したのは、ハーバード大学のT・レビット博士です。

T・レビットは、アメリカの鉄道会社がトラック輸送の登場によって低迷したのは、自社を「鉄道業」と定義してしまったからで、それを「輸送業」と機能的に定義していれば、トラック輸送を自社の事業領域として取り込むことができたはずだと指摘しました。

また、映画会社がテレビの登場によって衰退したのは、自社を「映画屋」と認識していたからで、「娯楽提供業」であると考えていればテレビの登場は新しいビジネスチャンスとして捉えられたはずだとも指摘しています。

扱っているモノやサービスそのものに着目して、○○を売っているから「○○屋」、△△を作っているから「△△業」と定義するのは、わかりやすい反面、現状にとらわれやすく、拡張性や発展性に欠けるものになりがちです。新しいビジネスの企画や新商品のアイデアが出てきたときにも、「うちは○○屋だから」といった反論が出てきやすいのです。

その点、機能的定義では発想が拡がりやすく、現時点で扱っているモノやサービスに限定されない構想が出てきますから、放っておくと既存マーケットが縮小してしまうこれからの時代において、新しいマーケットを創出するうえで非常に有効な視点だといえます。

ただ、機能的定義は拡がりがあり過ぎて、あれもこれもとなってしまい、結局あいまいな認識のままで終わってしまうという懸念もありますので注意が必要です。

事業ドメインの定義は、社名などにも影響を与えます。自社がどういう事業を営んでいるのかをマーケットや顧客に伝えるためには、社名に事業ドメインが入っていると有効なのですが、社名にまでなったドメインの定義は簡単には変えられませんし、社員にも日々刷り込まれていきますから重要なテーマです。

創業時は事業ドメインを絞り込んで、自社が何業であるかを明確に伝えるために社名にも入れていた企業が、だんだんと成長し事業分野が拡がっていくにしたがって社名と事業との不整合が生じて、社名からドメイン部分を外すようなことがよくありますね。

事業ドメインの見直しを、ぜひ行ってみてください。

Part4

現状をつかみ、
問題を浮き彫りにする
マネジメントの仕組み

Ｐａｒｔ３で述べてきたビジョンや戦略は、あくまでも机上の案であって、仮説でしかありません。「将来このようになるのではないか」、「そのためにはこういう手を打つべきであろう」、「そうすればこういう戦い方ができるはずだ」という仮説のストーリーです。

企業経営ではこれを現実の結果で検証していかなければなりません。仮説である戦略を現実に落とし込むのが、マネジメントの役割です。この落とし込みができなければ、机上の空論で終わってしまうことになりますから、現実の世界で何をどう動かすかを明確にし、その進み具合を測定する必要があります。

本章ではそのマネジメントの可視化について見ていきたいと思います。経営者や管理者だけに見えていればよいのではなく、全社員がマネジメント状況を把握しなければなりません。上が下をマネジメントすると考えるのではなく、上も下も自らをセルフマネジメントするのだと考えればよいでしょう。そこに可視化する意味があるのです。

1 スコアカードと経営コンパスコープを連動させ、問題をチェック

スコアカードがあるから問題が見える

戦略をマネジメントに落とし込むのに有効なツールが、Ｐａｒｔ３でも触れた「バランス・スコアカード」の基本である「スコアカード」です。これは、戦略マップや戦術マップを具体的なアクションに落とし込むための「得点表」だとお考えください（106〜107ページ参照）。

地図を描いて、目標地点が明示できたら、そこに向かうための道筋を決め、その道の途中の距離を明示しておく必要があります。距離がわかれば途中にマイルストーンを置き、進むときの目安にします。地図の基準値を決めてやる作業といってよいでしょう。

マネジメントの可視化において、基準値が明確になることの意味は、それによって問題意識が生まれ、見えなかったものが見えるようになるということです。

現状や実績はこの世に実際に存在しているものですから、見ようと思えば見えるわけですが、問題というのは人間の頭の中でつくり出される概念でしかありませんから、目には見えません。

戦略目標の達成を示すもの。
何によって測るのかが明確になる

結果指標をクリアするために
先行してチェックすべき指標

結果指標	数値目標（年）	先行指標	数値目標（年）
・利益率 ・売上高 ・成約件数 ・部門収支予算実績	35% 3.7 億円 100 件 ±0		
・顧客満足度 ・トラブル完了日数 ・CE ついで訪問 ・顧客満足度 ・商社満足度 ・機種・仕様変更数 ・引合い件数	？ポイント以上 ？日以内 500 件 ？ポイント以上 ？ポイント以上 ？ポイント以上 ？ポイント以上 0 件 700 件	・当日 1 次回答率 ・平均パーツ調達日数 ・訪問計画実施率 ・訪問時情報提供率 ・予防点検実施率 ・同行訪問件数 ・ビデオ説明率 ・カタログ説明率 ・社内レビュー率 ・客先確証取得率 ・資料納期厳守率 ・情報提供件数	100% ？日以内 ？% 100% ？% ？件 100% 100% 100% 100% 100% ？件
・重大クレーム件数 ・誤手配率 ・顧客満足度 ・提案書流用率	1 件以内 0% ？ポイント以上 ？%	・電話受付表の記入率 ・顧客別納入実績整備社数 ・責任者チェック率 ・顧客接触履歴入力率 ・事前社内レビュー率 ・PR ビデオ作成本数 ・マニュアル作成種類 ・パンフレット作成種類 ・日報登録率 ・上司のコメント入力率 ・提案書情報登録率	100% 100 社／月 100% 100% 100% 5 本 6 機種 12 機種 100% 100% 100%
・顧客満足度 ・特許件数 ・目標管理制度達成率	？ポイント以上 ？件 100%	・電話対応教育受講実施率 ・出荷前の機種勉強会 ・雑誌記事投稿数 ・コンピテンシー ・BJ を読む ・不得意機習得	100% ？回 ？回 20 点以上 100% 1 機種

スコアカードの例

マップの１つひとつの項目 → 戦略目標

戦略目標を実現するために最も重要なポイント → CSF

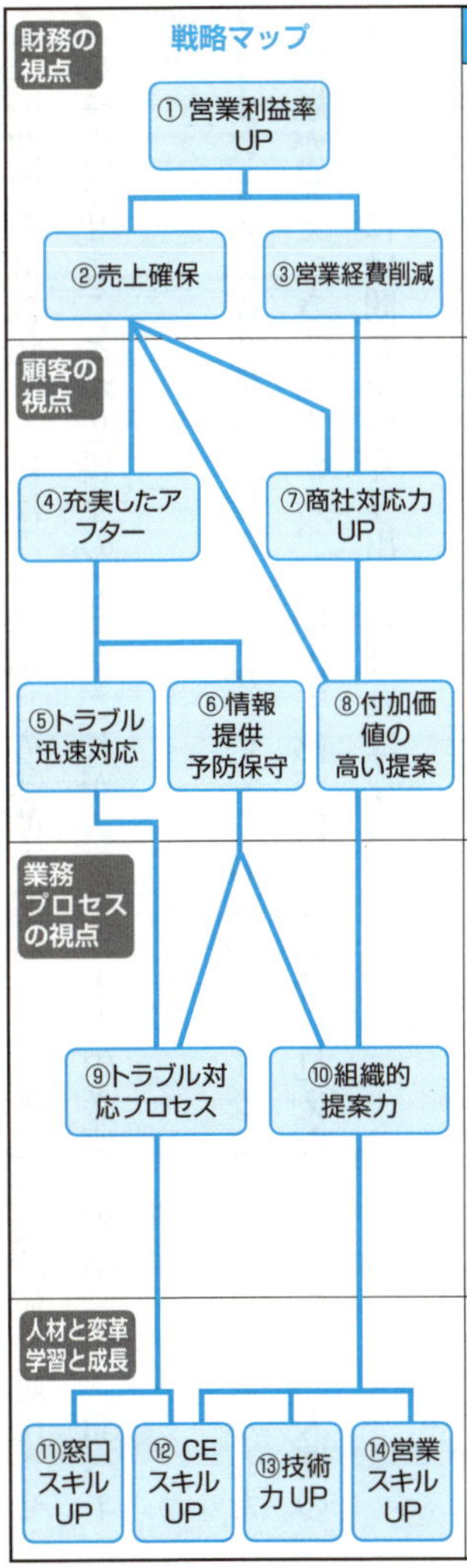

視点	戦略目標	CSF
財務の視点	①営業利益率 UP ②売上確保 ③営業経費削減	・顧客維持による利益率確保 ・営業技術の活用による見込発掘 ・商社の有効活用によるコスト削減
顧客の視点	④充実したアフター ⑤トラブル迅速対応 ⑥情報提供 ⑥予防保守 ⑦商社対応力 ⑨付加価値の高い提案	・顧客からの問合せの迅速処理 ・対応スピード ・有効な情報提供 ・トラブル対象外の予防点検 ・商社からの信頼 ・後戻り工数の撲滅 ・商社・顧客からの信頼
業務プロセスの視点	⑨トラブル対応プロセス ⑩組織的提案力	・１次データの正確な把握 ・迅速な２次データの活用 ・正確なパーツ調達 ・顧客のニーズを引き出すしくみ ・付加価値を注入するしくみ ・有効な提供情報・資料 // // ・顧客情報・提案情報の蓄積 ・情報の共有・活用 ・情報の流用
人材と変革 学習と成長	⑪窓口スキル UP ⑫ CE スキル UP ⑬技術力 UP ⑭営業スキル UP	・電話での気持ちの良い対応 ・機種の知識習得 ・開発力の強化 ・目標管理制度 ・自己啓発、教育受講 ・不得意機の減少

目に見えない問題を可視化するには、あらかじめ基準を明示して、そこに実績値を対比させてギャップを確定させることが必要なのです。これがスコアカードの必要な理由です（33ページの図参照）。

スコアカードによる基準の明確化がなければ、いくら日々のリアルな経営データを表示したところで、問題が見えてきませんから、人間の五感が働きません。見えないものを見、人間の能力を引き出すためには問題をつくり出さなければならないのです。

スコアカードで先行指標を設定することができる

次にスコアカードのポイントは、結果としての基準（結果指標）だけでなく、その結果を出すために先行して必要となる先行指標を設定することです。結果指標だけでなく先行指標もチェックするところに、「バランス・スコアカード」が世界中の企業で用いられている理由があるのではないかと思うほどです。

結果として基準に到達したか到達していないかを後になって振り返っても、結果を変えることはできません。そうではなく、結果を出すために先行の指標を管理し、そこのギャップを埋めていくことで、最終的な結果指標をクリアするという考え方（先行マネジメント）が組織に定着します。

そして、この先行指標を設定しているからこそ、日々の実績データが上がってきたときに基準となる指標があって、日々問題が明確になるのです。

結果指標と実績値のギャップを追いかけるだけであれば、日々のデータではなく月次のデータで充分なのです。しかしそれでは単なる過去の振り返りになってしまって、仮説→検証スパイラル（21ページの図参照）の回転速度も遅くなってしまいます。仮説→検証のスピードが遅いということは、仮説→検証の精度が落ちることであって、好ましくありませんね。

スコアカードは結果指標だけでなく先行指標も管理することで仮説→検証のスピードを上げ、結果として戦略実現の可能性を高める仕組みなのです。

スコアカードと経営コンパスコープの連動

仮説→検証スパイラルを高速回転させるために必要な仕掛けが、経営のコクピットです。コクピットとは飛行機の操縦席のことです。

この操縦席をつくるためのツールが「経営コンパスコープ」です。これは、羅針盤（コンパス）と望遠鏡（スコープ）を合わせた造語です。企業経営のコンパスとなりスコープとなる「経営コンパスコープ」のポイントは、一画面により多くの経営情報を表示し、全体のバランスを見ながら判断できるという点です。大きくてきれいなグラフが表示されるのではなく、小さなグラフや信号や警告灯が画面いっぱいに並び、企業経営の現状を可視化してくれる、まさにコクピットなのです（38～39ページの図参照）。

もちろん、企業経営で発生するすべての情報を一画面で表示できるわけがありませんから、重要な情報に絞り込むことは当然のことです。表示される情報は、スコアカードによって決められ、それが戦略の遂行情報とリンクする仕掛けになっています。

戦略マップ、スコアカードと連動することで、「経営コンパスコープ」には、財務面と非財務面、過去と未来、社内と社外といったバランスを踏まえたデータが集まることになります。スコアカードで設定された基準値は、当然「経営コンパスコープ」にも表示されます。実績値だけでなく基準値も表示されることで、問題が可視化され、問題意識が醸成されるのです。

逆にいえば、スコアカードでせっかく先行指標を設定しても、日々の実績データがタイムリーに上がってこなければ、基準があっても実績がない状態になって、これも問題が見えませんから、スコアカードの利点が「経営コンパスコープ」によって実現するともいえるでしょう。

せっかく「バランス・スコアカード」に取り組んで、戦略マップやスコアカードを作成していても、この現場のモニタリングの仕組みがなくて結局、仮説↓検証が遅くなり、充分に成果につなげられていない会社も少なくありません。

経営コンパスコープを日々チェックする

この「経営コンパスコープ」を日々チェックします。これが仮説↓検証になります。当然そこには気付きが生まれますから、仮説↓検証のスパイラルが回転しはじめることになるわけです。

毎日見ていると微妙な変化にも気付くようになりますし、112～113ページのように、「経営天気」が変わったり、イエローカードやレッドカードが出てきて、警告を与えてくれたりしますから、タイムリーに経営状況を把握することが可能になるのです。

システムの設定によっては、パソコンを立ち上げたら、まずこの「経営コンパスコープ」が表示されるようにもできますから、イヤでも目に入る仕組みにすることもできます。

▶商談目的別分類

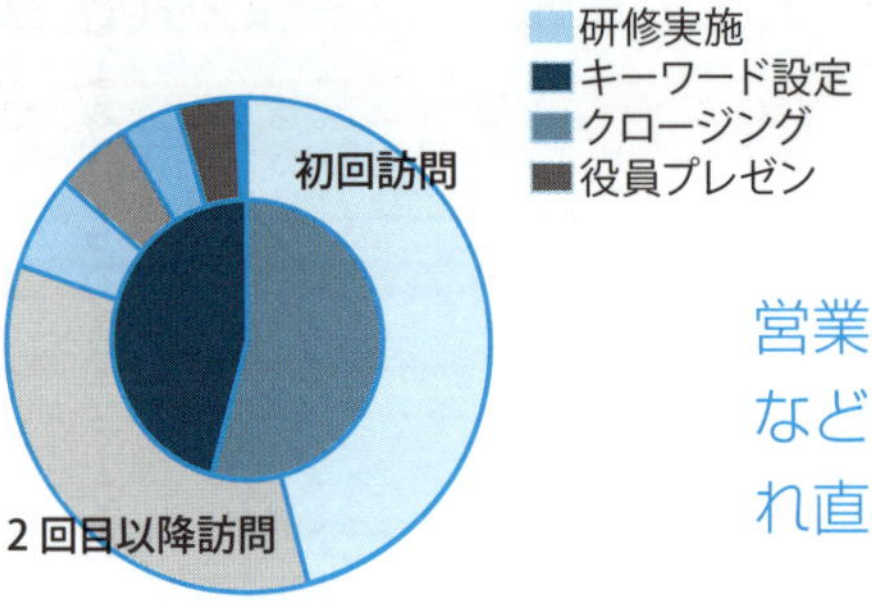

営業の活動状況や業務分類などは、円グラフで表示され直感的に把握できます。

▶クレーム件数

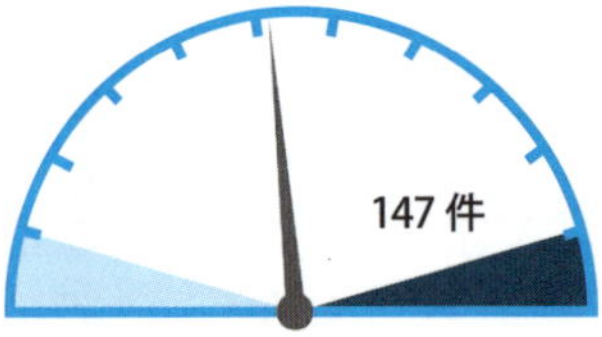

クレームなどはメーター形式で表示され、クレームが多くなるとレッドゾーンに入ることになります。

経営コンパスコープの表示例

▶経営天気

事前に条件設定をしておくと、経営情報を集約して「経営天気」として表示することができます。経営の全体観を日々把握するのに便利な機能です。晴れたり、曇ったり、雨が降ったりすることで直感的に経営状態を把握できます。

▶顧客ランク別訪問件数

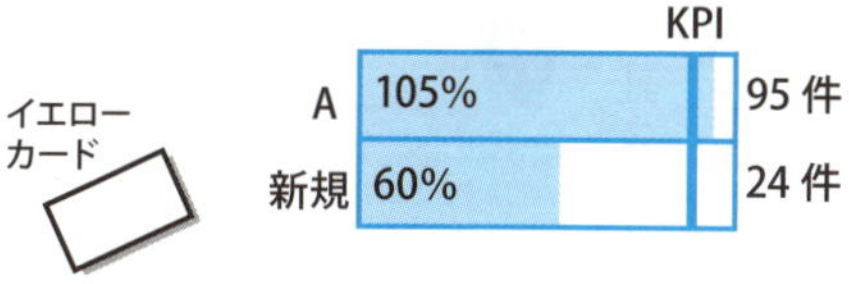

▶売上金額実績（年度）

予め設定した基準値を下回った場合には、イエローカードやレッドカードが表示されます。
予算と実績との対比も一目瞭然です。

2

マネジメントのためのデータをどう読むか

すべてのデータを把握することは無理。ポイントを絞り込め

スコアカードや「経営コンパスコープ」によって仮説→検証スパイラルの回転速度は上がり、一度に把握できる経営情報も非常に多くなります。ＩＴの活用によって収集するデータの量も飛躍的に増えていますし、その処理時間も非常に速くなっています。

企業は複雑な組織であり運動体ですから、企業経営のためにはいろいろと絡まり合った多くのデータが必要になります。確かにそれは事実ですが、しかし生身の人間が処理できる情報量には限界があるわけですから、どこでその折り合いをつけるかが重要になります。

スコアカードでは、「重要成功要因（ＣＳＦ）」（Critical：重要、Success：成功、Factors：要因）の絞り込みを行います。マップに描いた戦略目標を達成するための成功要因はいくつも考えられるわけですが、それをより重要なものに絞り込もうという考え方です。

人間が認識できる、マネジメント可能な範囲を逸脱してしまっては、せっかくのデータや仕組みも意味を成さなくなってしまいますし、その膨大なデータ処理のために無駄な工数をかけ

ることになってしまいます。当たり前のようですが、経営には実にさまざまな切り口、情報がありますから、つい「あれも、これも」となってしまって巨大なスコアカードをつくってしまう会社も少なくありません。

「80－20の法則」をご存じでしょう。20％の管理で全体の80％がカバーできるわけですから、100％管理しようと思わずに、「2割程度のより重要なポイントを押さえることで、7～8割程度の範囲をコントロールしていこう」と考えることです。とにかく、マネジメントポイントを広げすぎないことがポイントとなります。

さまざまな指標を全体のバランスの中で見る

100％完璧な企業はありません。経営はこちらが上がれば、あちらが下がり、あそこを増やせば、ここが減る、というような絶妙なバランスの上で成り立っており、すべての指標が100点満点になることなどないのです。

したがって、会社のマネジメントを可視化するときには、「バランスで見る」という視点が欠かせません。この点も「バランス・スコアカード」のコンセプトの秀逸さが現れているところです。「バランス・スコアカード」は財務と非財務、社外からの視点と社内の視点、過去と現在と未来といったバランスを4つの視点で整理したものです。

さらに企業には、営業、製造、購買、開発、経理、物流など、多くの部門があって、例えば、営業部にとって都合のよいことが製造部には都合が悪く、製造部に都合のよいことが営業部に都合が悪いという利害対立を内包していますから、それを最適化するバランスも必要になります。

また、例えば営業部門などでは、［見込案件数×受注率×受注単価］という算式で受注高が算出できるわけですが、このそれぞれが逆相関しています。つまり、受注高を最大化するためには、３つの指標がすべて増えればよいのですが、実際には、見込案件数が増えれば受注率が下がり、受注率を上げようと思うとどうしても受注単価が下がってしまい、受注単価を上げようと思うと受注率が下がってしまうということになりがちです。

そして営業活動の実態を把握しようと思えば、受注高を商談期間で割ってやらなければなりません。受注高が増えても、それに必要な商談期間が長くなっていれば営業活動はよくなったとはいえません。さらに、受注高を商談回数で割ってやるという視点も必要です。受注はできたけれども、そのために何度も何度も足を運び、無駄な工数をかけていたら、営業効率が悪くなっているわけですし、営業の原価を考えれば受注採算割れしているかもしれません。

というように考えていくのが企業経営です。これらのバランスを考え、「経営コンパスコープ」（すなわち経営のコクピット）に配置するデータを決めていく必要があるのです。

そして個別の指標やデータを１００点満点にしようと無理し過ぎないことです。どこかの指標を上げたら、どこかが下がりますから。どこをどう動かせば、どこにどういう影響が出てくるかを常に考えながら、仮説→検証を繰り返していきます。このマネジメントを可能にするのが「経営コンパスコープ」による複数データの一覧表示なのです。

複数の指標をバランスよく見る

▶受注率

受注率は青信号になっていてよいのだが、受注の平均単価は下がり、商談期間も訪問回数も多くなっている…。

▶受注傾向

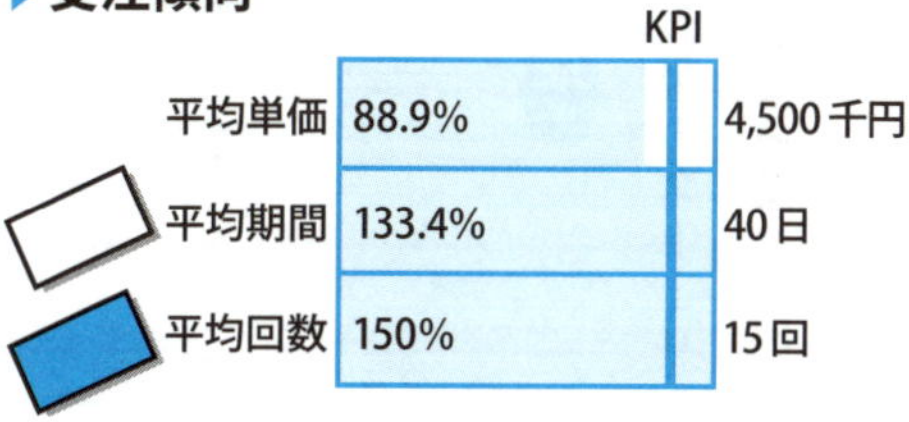

値引きや御用聞きの訪問を繰り返すことで受注率が上がっているのではないか？

▶失注率

失注率には黄信号が灯っていた。
受注率がよいからといって油断していてはいけない。

3

アクションプランをつくって、徹底して実行する風土をつくる

スコアカードからアクションプランを作成

仮説→検証をしっかり行うためには、仮説のストーリーでやると決めたことはきちんと徹底してやり切るということが重要です。やってみて、その結果を見てこそ、仮説の検証となるわけです。ちょっとやってみて上手くいかないからといって、中途半端にアクションを終えてしまうと、仮説が悪かったのか、行動が不徹底だったのか、原因がわからなくなり、仮説→検証スパイラルが回転しなくなってしまいます。

そこでスコアカードから、さらにアクションプランを作成します。マップに描かれた戦略目標から、重要成功要因を挙げて絞り込み、それに対して結果指標と先行指標を決めます。そしてその先行指標をクリアしていくためにどういうアクションが必要なのかを明らかにするのがアクションプランです。次ページのアクションプラン検討シートのように整理するとよいでしょう。

アクションプラン検討シートの例

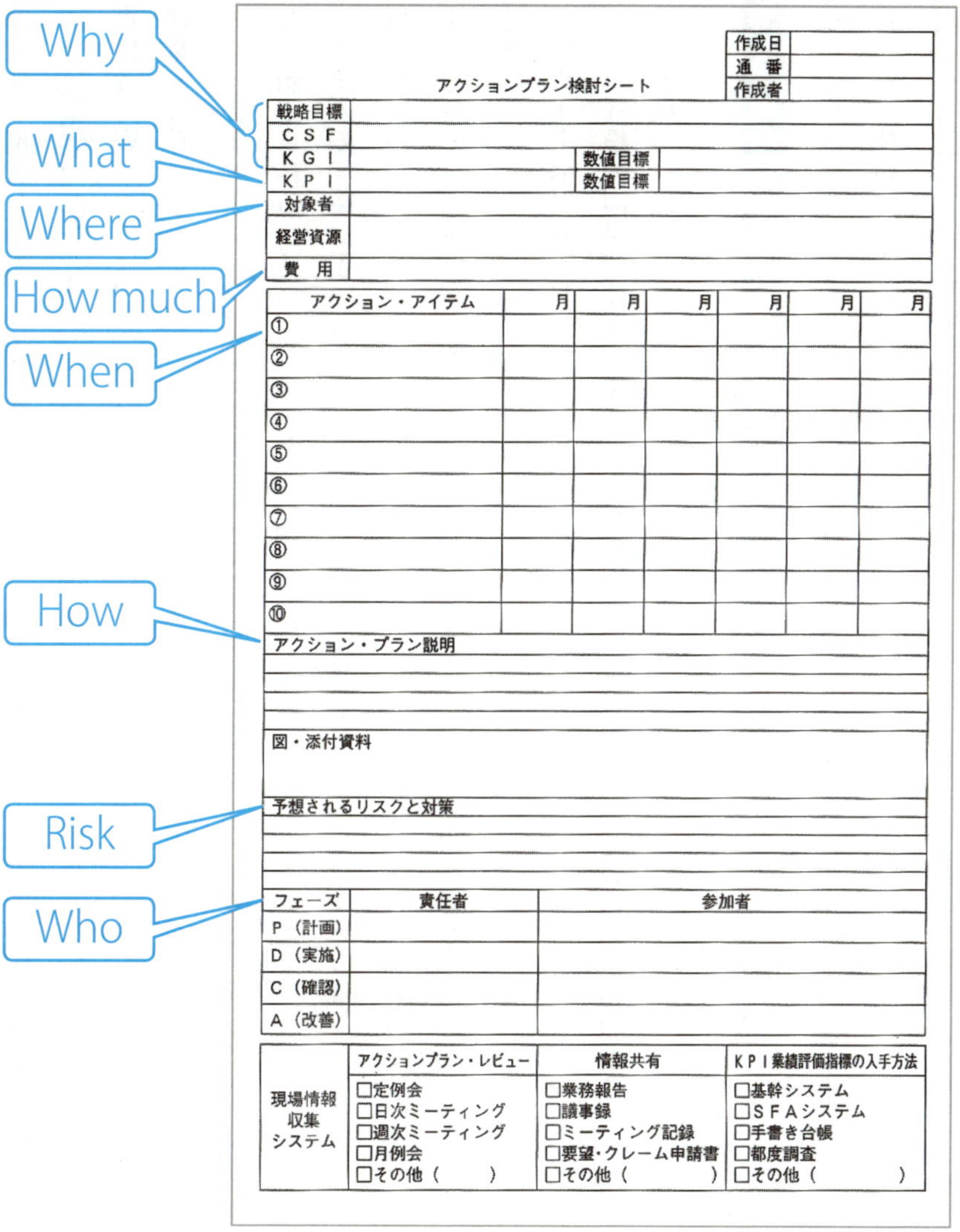
Why
What
Where
How much
When
How
Risk
Who
作成日
通　番
作成者
アクションプラン検討シート
戦略目標
ＣＳＦ
ＫＧＩ
数値目標
ＫＰＩ
数値目標
対象者
経営資源
費　用
アクション・アイテム
月
月
月
月
月
月
①
②
③
④
⑤
⑥
⑦
⑧
⑨
⑩
アクション・プラン説明
図・添付資料
予想されるリスクと対策
フェーズ
責任者
参加者
P（計画）
D（実施）
C（確認）
A（改善）
現場情報収集システム
アクションプラン・レビュー
□定例会
□日次ミーティング
□週次ミーティング
□月例会
□その他（　　）
情報共有
□業務報告
□議事録
□ミーティング記録
□要望・クレーム申請書
□その他（　　）
ＫＰＩ業績評価指標の入手方法
□基幹システム
□ＳＦＡシステム
□手書き台帳
□都度調査
□その他（　　）

そのときの視点として、５Ｗ２Ｈ＋Ｒがあります。アクションプランの実行背景を知り（Ｗｈｙ）、どの指標（Ｗｈａｔ）を、どのような方法で（Ｈｏｗ）実施し、このアクションプランの責任者（Ｗｈｏ）は、いつまでに（Ｗｈｅｎ）準備し実行するか、そしてその実行する環境・設備・場所（Ｗｈｅｒｅ）などを決定します。

さらに、このアクションプランを実行するために必要なコスト（Ｈｏｗ ｍｕｃｈ）と、あらかじめ想定されるリスク（Ｒｉｓｋ）や阻害要因を洗い出しておくのです。

目標を決めて、後は思いつきで、とにかく動いてみるというのではマネジメントになりませんから、個々のアクションまで事前によく考え、計画して仮説→検証に持ち込みます。ここまで進んでくると、122～123ページのように「バランス・スコアカード」の全体像が明らかになってきます。

スコアカードの「戦略目標」－「ＣＳＦ」－「結果指標」－「先行指標」－「アクションプラン」という横の因果関係が、マップの縦の因果関係に結びついているのがおわかりいただけるでしょうか。

やると決めたことはきっちりやる風土づくりを

こうしてやるべきことを明確にして、それを実行していくわけですが、やっぱり不徹底になってしまう会社があります。

ここから先は経営手法や情報システムなどの問題ではなく、人の問題であり、その会社なり組織に、物事を徹底するという風土や体質が備わっているかどうかという問題になってきます。机上のプランやシステムの活用は、時間とコストさえかければどの会社でもできますから、大きな差がつくのはこの〝徹底度〟かもしれません。

孫子は、「将《しょう》、弱くして厳《げん》ならず、教導《きょうどう》明らかならずして、吏卒《りそつ》常無《つねな》く、兵を陳《つら》ぬること縦《しょう》横《おう》なるを、乱《らん》と曰《い》う」と指摘しました。「将軍が弱腰で威厳がなく、兵に対する指示命令が不明確であり、その指導方針に一貫性を欠き、布陣に秩序がなく雑然としているようでは、乱れた軍であると言わざるを得ない」という意味です。

可視化経営を進めていくと、方針や指示は明確になり、それに一本筋が通って戦略から日々の活動まで落とし込まれる一貫性が生まれます。しかし最後に、経営者や管理者が、やると決めたことをキッチリやり切る強いリーダーシップを発揮し、ついつい安易な道に流れる部下を引き上げていく必要があります。どんなに優れた経営手法でも、それが徹底されないのでは意味をなしません。

経営者や管理者の方々は、手法頼み、ＩＴ頼みではなく、最後に「人」を動かす部分は自分たちがやるしかないことをご理解いただきたいと思います。

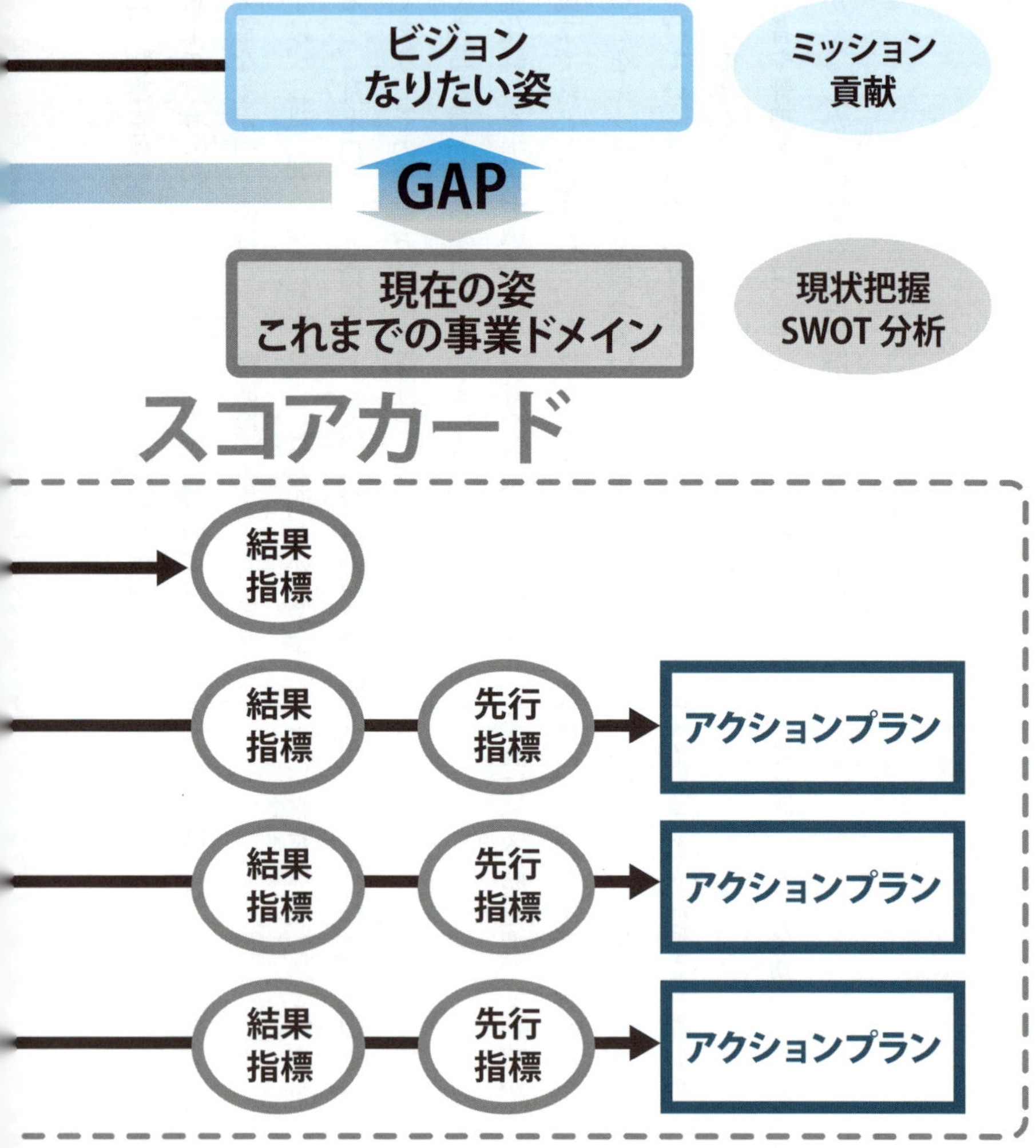
ビジョン
なりたい姿
ミッション
貢献
GAP
現在の姿
これまでの事業ドメイン
現状把握
SWOT 分析
スコアカード
結果
指標
結果
指標
先行
指標
アクションプラン
結果
指標
先行
指標
アクションプラン
結果
指標
先行
指標
アクションプラン

バランス・スコアカード全体イメージ

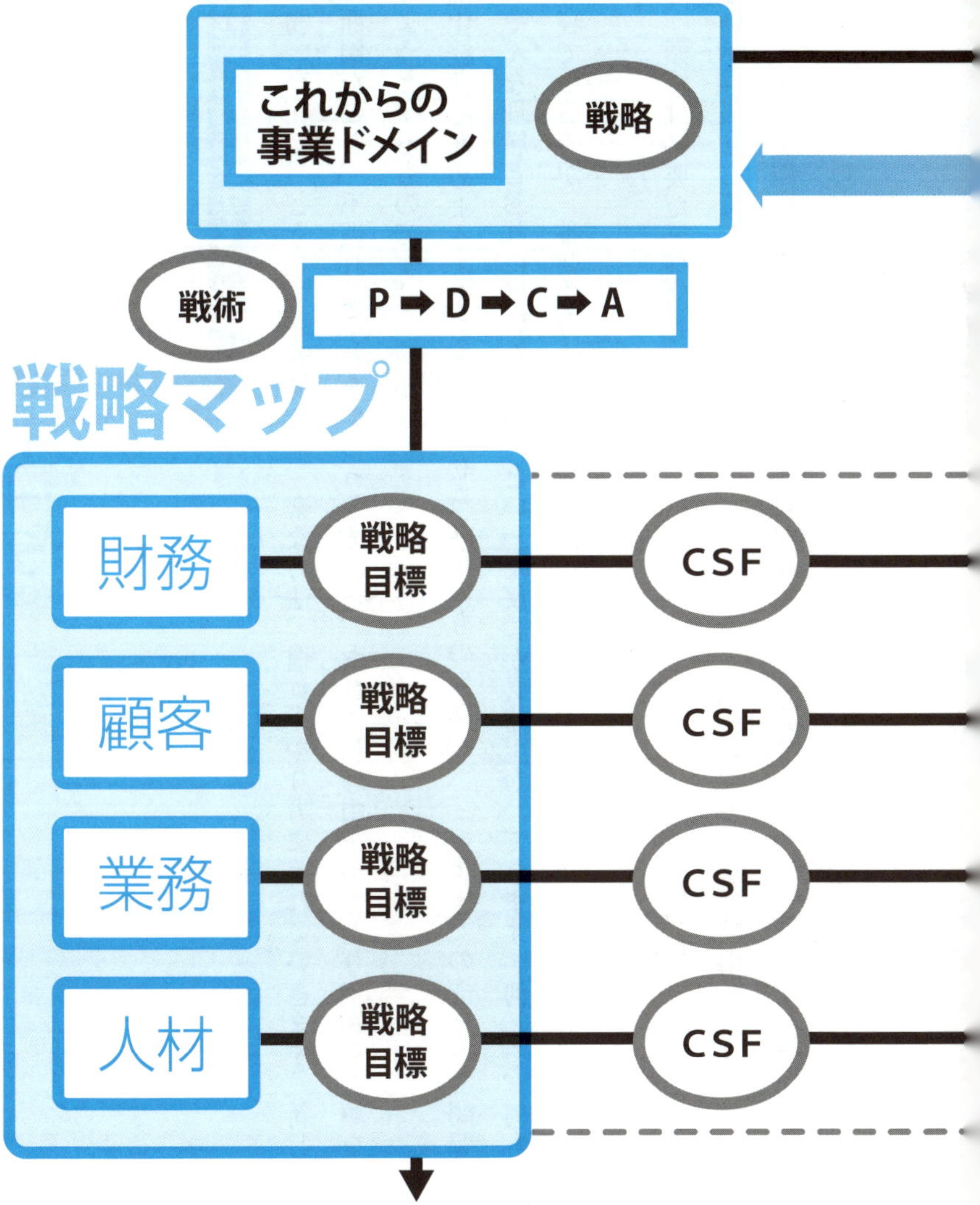

4 マネジメントを徹底させるために人事評価の精度を上げる

人事評価の基準をオープンに

人は弱い存在で、どうしても安易な道、楽な方法、慣れたやり方に流れていきます。新しいことや面倒なこと、不慣れなことをやろうとすると、あれこれ理由をつけたり、知らん顔をして逃げようとするものです。

可視化経営を進めようとすると、「見せられないものもある」、「いままでのやり方で問題ない」、「そんな理屈どおりにはいかない」といった反論が必ず上がってきます。何しろ、何もしないで寝ているのが一番楽な方法ですから、何かやろうとすれば必ず文句を言う人間が出てきます。

また、頭では必要だと理解していても、いざ「アクションせよ」と言われると、「忙しくてできない」、「失念してしまった」など、いろいろな言い訳やゴマカシが飛び出してきます。

マネジメントを徹底する、物事を徹底する組織風土や企業文化をつくろうとすると、どうしても触れておかなければならないのが、人の評価です。正しい評価がなければ正しい風土はでき上がりません。そしてその評価も、本人と上司だけが知っているのではダメで、「何が評価され、何が評価されないのか」、「どういう仕事をすることが認められることにつながるのか」といったことが、全社的に可視化されなければなりません。

かといって、部下が上司を評価する〝360度評価〟を行ったり、全社員の人事考課の結果を公表するようなことまでは必要ないと思います。このように、評価をフルオープンすることができる会社もあるでしょうが、限られますし、多くの場合うまく機能しているようにも思えませんので、私はお勧めしません。

日報における上司のコメントを最大限に生かす

ではどうするかというと、可視化経営の神経網であるIT日報への上司のコメントを利用します。何がどう評価され、どういうときに叱責され、何をすれば誉められるのかが、そのコメントからはっきりしてきます

それが直接、給与や賞与につながるわけではありませんが、金銭的な報酬だけが報酬ではありません。人は、人と人との関係のなかで生活し仕事をしていますから、他人からの評価や、他人がどう評価されているのかは非常に気になるものです。

IT日報で、アクションプランを確実に実行している人は経営者や管理者から誉められることになります。「キッチリ実行してくれているね」とか、「その調子で頼む」といった具合です。先行指標や結果指標が動く前の段階です。

逆に、アクションプランをなかなか実行しない人には、「早くアクションを起こすこと」、「このままでは期限に間に合わないぞ」といったマイナスの評価コメントが入ることになります。

ここで大切なことは、きちんとやっている人はきちんと評価され、やるべきことをやっていない人はきちんとマイナスに評価されているということが、周知徹底されているということです。

私はこれまで数多くの会社を見てきましたが、よい企業風土や文化がなかなか醸成されない会社には1つの共通点があります。それは、頑張って仕事をしている人が馬鹿を見ることが多く、そうしたことが放置されているということです。

やると決めたことをきちんとやろうと考える人は、どの会社にも当然います。しかしやるべきことをやらない人間も必ずいるものです。そこで一番不満に思うのは、やるべきことをやっていない人間が注意されることもなく、マイナス評価されることもなく平気な顔をしていることです。

これでは、きちんとやっている人は馬鹿馬鹿しくなってきます。「こっちも忙しいのに何とかやっているのに、なんで彼らはやらなくて許されるんだ」というわけです。これは特に、ちょっとしたこと、細々した業務で大切になります。まさに凡事です。

地味で目立たないけれども、やるべきことをきちんとやっている人は、それがきちんと評価され、目立つ部分では頑張っていても、見えないところで手を抜いていい加減なことをしているような人には、きちんとマイナスの評価が与えられる、と示すことが大切です。

そしてもちろん、給与や賞与などに跳ね返る、通常の人事評価においても、日々の日報で日頃の仕事ぶりが明らかになっていますから、人事評価の精度が上がることになります。ここでも目立つ部分だけでなく、地味でも確実にやっておかなければならないことができているかどうかを評価するわけです。

これは全社にオープンにする必要はありませんが、評価結果は本人にフィードバックしなければなりません。そのときに必要なのが、日報です。評価の元データがＩＴで残っていますから、それを見せて本人に納得させなければなりません。目先の業績や成果は挙げていて凡事は不徹底という人にはこれが欠かせません。

成績さえよければ、やるべきことはやらなくていいとなったら、正しい組織風土ができるわけがありません。そうした凡事不徹底を許してきた会社は、いざ時代の転換に合わせて新しいことに挑戦しよう、やるべきことを徹底していこうとしたときに、実行がおぼつかず、苦労することになるのです。

マネジメントの可視化は、仮説→検証スパイラルを高速回転させると同時に、やるべきことをきちんとやる人を正しく評価するものであることをご理解ください。

Column

評価なくして実行なし

クライアント企業から、「営業マンの動きが悪くて困っている」、「営業方針が実行されない」とご相談を受けて、いろいろとお話を伺ってみたら、結局、頑張っても評価されないという評価の問題だった、ということが少なくありません。

利益率の低下が問題になっていたので、利益率のアップを方針として掲げて改善に取り組んでいた企業がありました。計画書には、「利益商材の拡販」や「利幅の取れる新チャネルの開拓」などの文字が書かれていて、社長さんは、「うちの営業マンはすぐに値引きをしてしまうし、行きやすい既存の得意先にしか訪問しない。これでは利益率は下がるばっかりだ」とおっしゃいます。

「普段、指導したり注意したりはしないのですか」と聞いてみると、「何度も指導しているのに、一向に改まらない」というわけです。

「それは困りましたね」とあれこれ話をして、「ところで、営業マンの評価はどうなっていますか」と聞いてみると、なんと販売重量（トン数）で評価していたのです。

販売数量やその重量で評価していては、営業マンが利益率を上げようとすることはありません。笑い話のようですが、こうした話が決して少なくないので笑ってばかりはいられません。

仕入れたモノを右から左に売っていれば儲かった会社、作れば売れ、売れれば生産量が増えて単位コストが下がって儲かった会社、数量を捌いたら販売リベートをもらえて儲かった会社などでは、いまだに数量目標を設定し、販売数量で評価していることがあります。

売上金額目標や粗利目標などを設定しているケースもありますが、経営陣に数量目標が染み付いてしまっているのでしょう。ついつい「何トン売った？」と聞きたくなってしまうようです。

そうした企業も、競合が激しくなり価格競争になって原料や製造コストが上がってくると、単に数量が売れれば儲かるというわけにはいかなくなってきています。そこで「利益率を上げろ」、「利益の取れる顧客を開拓せよ」と指示はするのですが、評価が昔のままでは営業マンの行動は変わりません。

社員の行動を変えたかったら、まず評価を見直す。これを忘れないようにしてほしいと思います。

Part5

現場の情報を吸い上げる
モニタリングの
仕組みづくり

Ｐａｒｔ４で述べた「マネジメントの可視化」を実現するためには、現場・現実の情報を吸い上げ、可視化する仕組みをつくる必要があります。具体的にはＩＴ日報によるモニタリングシステムづくりとＥＲＰなど基幹系情報システムからのデータを統合する「可視化経営システム」の実現です。

これによって、戦略の可視化、マネジメントの可視化、現場の可視化という可視化経営の３層構造ができ上がることになります。

自社の現在位置をリアルタイムで把握することができれば、より正しい判断を、より早く、より効果的に行うことができるようになります。経営コクピットが完成するわけです。

墜落しそうになってから慌てるのではなく、順調に飛行しているときからちょっとした気象の変化や機械の異常を見つけ出し、影響範囲の少ないうちに手を打って正常な飛行に立て直す、一見地味ですが、安全かつ確実な操縦が経営者には求められるのです。

今後の企業経営には多くの環境変化（悪天候）が予想されますから、いざというときにあわてないよう、しっかり準備しておきましょう。

1

「日報」は現場の変化を日々吸い上げる神経網

現場では常に想定されていない事件が起きている

時代の変化は、企業にさまざまな影響を与えますが、真っ先に現象として現れてくるのは、どの会社においても最前線の現場です。

営業現場、製造現場、開発現場、施工現場、物流現場、作業現場などで、これまでに経験したことのない、想定外、計画外の事故や不具合、遅延や抜け漏れ、クレームが発生します(逆に、想定外のお褒めの言葉をいただいたり、驚くような成功があったりもしますが)。

こうした事件は、本社のスタッフルームや社長室では起きないのです。もちろん、現場で大事件が起きれば、すぐに本社や社長室にもその情報が知らされるでしょう。しかしほんの些細な、ちょっとした事件の多くは見過ごされがちです。「まぁ、たいしたことではないな」、「たまたまだろう」、「わざわざ上に報告するまでのことでもない」と判断されてしまうからです。

あらかじめ想定されている情報については、それが上へ上がったり、横へ広がったりするルートが用意されています。想定されているクレームには、それが伝えられ、集計され、処理されるルールが決まっています。そして、想定されている抜けや漏れには、それがチェックされ、原因分析され、対策が打たれる手順が決められています。

このように、よくある案件が発生したときには、「必ず事業部長に報告せよ」とか、「必ず社長にもレポートを提出するように」といった決め事があります。リスクコントロールがなされているわけですね。しかし、想定を外れた、初めての出来事や事件には報告ルートも決められた手順も用意されていません。何しろ、誰も考えてもいないことですから……。

いま起こっている環境変化は非常に大きいものです。そしていままで誰も経験していない新しい変化でもあります。そしてこの変化は今後より大きな変化へと続いていくことになります。過去の経験を踏まえて想定した未来が本当に実現するのかどうかを検証するためには、想定していることだけでなく、想定していない変化も見つけて把握し、次の想定へ盛り込まなければなりません。

そこで、手順が決まっていなくても、報告ルートがなくても、承認経路が設定されていなくても、現場で何か違和感があったり、予期せぬ出来事が起こった場合には、それが可視化され、全社に伝わる仕組みが必要なのです。

現場で起きていることを日々伝える仕組みは「日報」が最適

Ｐａｒｔ３で述べたように、将来へのビジョンや戦略を立てることはとても重要なことですが、それは、あくまで仮説でしかありません。

仮説は人間が想定した範囲でしか立てることはできません。当たり前のことです。人間が想定した仮説が正しいかどうかを検証するのに、その人間が想定した情報だけを収集していたのでは、検証にはなりませんし、そこから新しい発想が出てくることもありません。

企業はちょっとした変化、些細な出来事、微妙な違和感を大脳（経営者・管理者）に伝えるための神経網を体内（社内）に張り巡らさなければならないのです。

その役割を果たすのが「日報」です。呼び方は「レポート」でも「日記」でも「報告書」でも「気付きメモ」でも何でもいいのですが、その日現場で何が起こって、それに対してどう対応し、それを自分がどう感じ、どう考えたのかを明らかにして、公開、伝達する仕組みが必要なのです。

これが週単位では間延びしてしまいますし、時間単位では、それぱっかり書いていることになってしまいますから、日単位が一番現実的でしょう。

そしてせっかく日々、社員のいろいろな気付きが吸い上がってくる仕組みをつくるのであれば、その日どういう業務を行って、それがうまくいったのか、失敗したのか、どこまで進んだのかといったことも知りたくなります。そう考えると、やはり社内に張り巡らす神経網のベースは日報のスタイルになってくるわけです。

「日報なんか必要ない」と豪語するコンサルタントがまれにいますが、経営のことがわかっていない、時代の変化に気付いていない証拠でしょう。名称はどうであれ、現場の変化を伝えるための社内の神経網は必須です。

日報がなければ、社内での情報の流れはどうなるか

もし、こうした仕組みがなければどうなるか、考えてみてください。スーっと情報が流れ、サッと指示がフィードバックされる神経網がないわけですから、人から人への〝伝言ゲーム〟が始まることになります。

営業現場を例に考えてみましょう。営業担当者が客先訪問を終えてオフィスに戻ってきます。そこに上司がいて「今日は、どうだった?」と尋ねます。それに対して口頭で、「A社はバッチリでしたが、B社では○○というご要望をいただきまして、話が進展しませんでした」といった報告がなされます。それに対して上司からは、「○○の件は、今度の営業会議で議題に取り上げてもらおう」という対応が伝えられます。

「それで、明日はどうなっているんだ?」と上司がまた聞き、そこから翌日の予定についてあれこれ会話します。その間、別の営業担当者は上司に報告や相談したくてもできず、待たされることになります。何人かの部下がいれば、この上司は同じような会話を人数分することになるわけです。かなり時間がかかるでしょう。

そしてその上司は、月に一度行われる営業会議で、○○の件について営業部の要望として全社会議に上げてもらうよう提案をします。説明上、きちんと会議に諮ったことにしますが、実際には、部下との会話を忘れてしまって、そのままうやむやになることも多いのではないでしょうか。何しろ口頭でのやり取りだけで、メモすら残っていないことがほとんどですから。

営業会議では、「○○という要望が、多くのお客様から上がっていまして、そういう要望が出ると商談が進まなくなるという問題が生じています。この○○に対応していただければ営業活動がやりやすくなるのですが、製造部に要望を伝えていただけないでしょうか」と上司が発言し、多少のやりとりがあって、営業部長が、「では、今度の全社会議で、製造部や開発部とも話をしてみよう」ということで、営業部として取り上げることが決まりました。

そして3ヵ月に一度、全部門の責任者が集まって行う全社会議に、○○の件が諮られることになり、営業部長が説明をしました。ところがそれに対して製造部長から「お客様からの要望が多いというが、いったい何件あって、具体的にはどういう背景で○○という要望が出ているのか」と質問が出ました。

また、開発部長からも質問が出されましたが、営業部長としては大雑把な話しかできず、結局、次回（3ヵ月後ですが）の全社会議までに、顧客のニュアンスや○○が必要な理由についてもう少し裏付けを取ってくるということで決着しました。

退屈になってきたでしょうから、この事例はこれで終わりにしますが、最初の営業担当者の報告からこの全社会議まで、いったい何日経過しているかを考えてほしいのです。さらに、最後は役員会に諮るというステップが待っている会社もあるのではないでしょうか。

先に述べたような仕組みがない会社は、大なり小なりこのような〝伝言ゲーム〟をしながら、情報を伝えているわけです。多くの時間を費やしているにもかかわらず、その途中で顧客のニーズや要望が変化してしまっているかもしれないのに……。

2

現場情報の伝達スピードを上げるには、日報のIT化が欠かせない

紙の日報を使っていた時代の苦労

私は20年間、日報を活用したコンサルティング活動を行ってきましたが、パソコンがあまり普及していなかった1997年頃までは紙の日報を使っていました。

その当時は、現場の担当者が日報を書いて、直属の上司が読み、さらにその上の上司が読んで、本人に返却するという1サイクルで、だいたい3日かかりました。回覧する人が増えたりすれば、それがすぐに1週間に延びるわけです。先述した口頭の〝伝言ゲーム〟にくらべれば、スピードは速いのですが、今日の日報に対しての上司のコメントが3日も経ってから返って来ても、時すでに遅しというか、喉元過ぎたというか、タイムリーではありません。

そこで私は、情報を速く回転させるために、マネジャーの自宅にFAXを置いてもらって、部下と日報のやり取りをしてもらったこともあります。しかし、この試みは頓挫しました。

たしかに、やり取りのサイクルは速くなりましたが、コメントの入った日報と入っていない日報ができて日報の原本が不明になり保存がむずかしく、上司が赤ペンで手書きのコメントを

入れても、ＦＡＸで送ると、真っ黒で何が書いてあるのか、よくわからなくなってしまったからです。

そんな時期に登場してきたのが、インターネットや携帯電話です。パソコンの価格も下がり、中小企業にも普及しはじめました。そして、私のコンサルティング活動も、98年以降は完全にＩＴ化にシフトしました。

口頭や紙による情報伝達の特徴

紙の日報をＩＴ化しようとすると、どの会社でも、「コストがかかるので、紙の日報のままでいいではないか」、「そもそも口頭で報告すれば充分だ」といった意見が出てきます。紙かＩＴかという話は、情報伝達の手段、媒介の問題でしかないのですが、この問題を正しく認識し、共通理解しておかないと、収拾がつかない状態になってしまいます。

情報の伝達において重要なことは、スピードと共に「伝達性」、「蓄積・保存性」、「再利用性」の３つの観点です。口頭と紙とＩＴで比較してみましょう。

まず口頭での情報のやり取りですが、伝達性は高いですね。部下が上司に「○○でした」と報告すると、上司が「そうか、ご苦労さん」と答える。簡単ですし、速くてよいように思えます。が、その場に上司がいなかったらどうでしょうか？　また、その情報を他の拠点や部署にも伝えたい場合はどうでしょうか？　口頭での伝達は一気にむずかしくなってしまいますね。

蓄積・保存性はどうでしょう。これはまったくダメです。口頭でのやり取りは何か別の媒体を使わないかぎり蓄積・保存はできません。蓄積・保存されないわけですから、再利用性もゼロです。蓄積されていないものは再利用できません。口頭でのやり取りは、その場の上司と部下の関係では多少伝達性に優れた面がありますが、記録にも残らず再利用もできないものですから、情報の伝達手段、情報の扱い方としては不充分だといえます。

次に、紙です。日報で考えてみましょう。部下が紙の日報にパッと書いて、それを上司に提出する。上司は複数の部下がいても、紙の日報ですから同時に机の上に広げてザッと読むことができます。それにコメントをパパッと書いて、返却。伝達性は悪くありませんし、紙ならではの簡易さがあります。

しかし、直属の上司だけでなく、その上の階層に回したり、他の拠点や他部署に対してもその情報を伝える場合は、回覧に時間がかかります。一斉に配布しようと思っても、コピーやＦＡＸの手間がかかってしまいます。

蓄積・保存性はどうでしょう。場所はとりますが、蓄積・保存性には優れています。問題は再利用性です。紙で情報蓄積すると、情報が少ないうちは再利用できますが、情報が増えれば増えるほど再利用がむずかしくなります。探せばどこかに蓄積されているはずだけれど、その情報を探し出すことができない、ということになります。

コンピュータが高価で、記憶媒体の容量が小さかった時代には、仕方なく紙で情報を保存したわけですが、パソコンが普及してくれれば、わざわざ紙で情報を蓄積する意味がないですし、蓄積しても再利用できないのでは話になりません。

日報をＩＴ化することは必然

そこでＩＴです。最初にパソコンを立ち上げるのは面倒です。ＩＤやパスワードも入力しなければなりません。しかし一度ログインしてしまえば、伝達性は抜群です。直属の上司以外にも他拠点、他部署にも瞬時に伝達が可能です。最近は携帯電話を活用することによって、パソコンを立ち上げる手間を省くこともできるようになってきました。

蓄積・保存性はどうかというと、すべてのデータがきれいに保存でき、場所もとりません。記憶媒体も安くなっていますから、少々データ量が増えても大した問題ではありません。

そして、ＩＴの真骨頂が再利用性です。蓄積・保存した情報を、後から検索してピックアップしたり、並べ替えたり、必要な項目だけ抜き出したりすることはいとも簡単です。後で利用できるからこそ、蓄積・保存する苦労が報われるというものです。

こうした観点での評価をせずに、目先のやり取りだけを考えて、「紙の日報のままでいい」、「口頭で充分」と考えるのは浅薄であることはおわかりいただけると思います。

また、「うちの社員は、紙の日報もろくに書きません。ＩＴ化されても同じでしょう」と言う方もいますが、この考えは間違っています。上司が部下を管理するための日報で、そこに書いた情報を後から利用することもなく、書いたことがムダになるから日報を書かないのであって、情報を後で利用でき、本人にも充分なメリットがあると考えれば、みんな自分のために一生懸命日報を書くのです。

3

モニタリングの仕組みとして日報を育てる

初期のレベルは報告書、連絡書としての日報

これまでの説明でおわかりのように、紙の日報とＩＴ日報は、似て非なるものです。しかしついつい同じものだと考えてしまう人が少なくなく、紙の日報を活用できなかったことでネガティブなイメージを持つ人もいます。

ここでは、「日報を育てる」という考え方をご紹介しておきましょう。日報は、次ページのように4段階で育っていくものであり、これを「日報の成長過程」と呼んでいます。

一番レベルの低い段階が「報告書」段階です。残念なことに、「日報はその日の活動の報告書である」というこの第1段階が、日報に対する世間の常識でもあります。

しかし、この常識を打ち破らなければなりません。報告書だと思えば、事後報告を書き、それで満足してしまうからです。事後報告というのは、役に立たないものの代名詞みたいなものです。

その役に立たない事後報告を、なぜ毎日部下に書かせる必要があるのかと、管理職の人に尋

日報の成長過程

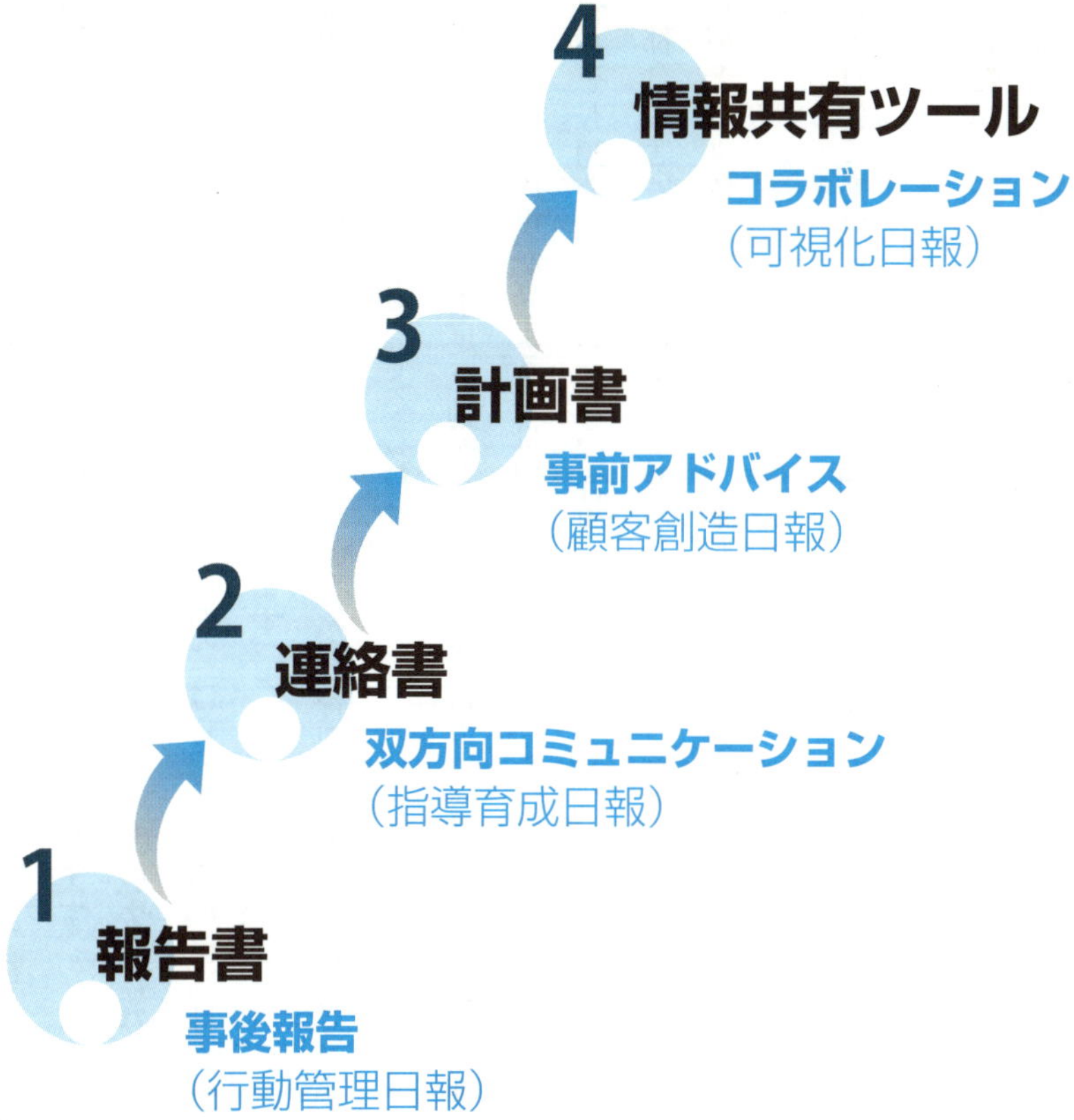

日報を否定するのではなく、
育てるという発想を持つことで、
日報の活用度は飛躍的に高まり、
社内の情報伝達網が整備される！

ねると、「部下の行動を管理しなければならないから」という答えが返ってきます。そのため、この第1段階の日報を「行動管理日報」と呼ぶことにします。

この日報は、1日サボらずに仕事をやらせるために書かせるものです。したがって、社外に出て働きぶりをチェックできない営業部門には日報があるのに、社内で内勤業務を行っている部門には日報がないということが起きます。

なぜ内勤の人には日報を書かせないのかと管理職の人に尋ねると、「何をしているか見えるから」という答えが返ってくるわけです。

こうした発想は、手足を動かしていれば仕事になった20世紀には通用したかもしれませんが、頭を使う比重が高まる21世紀には通用しません。

そもそも20世紀においても、日報で行動管理をしようとすると、必ずウソの報告を書いたり、都合の悪いことを書かなかったりすることが起きたものです。自己申告の情報に基づいて自分がチェックされると思えば、誰も自分の立場が悪くなるようなことなどを書こうとはしません。

紙の日報であれば、後で再利用されることもありませんから、その場をなんとかごまかしておけばよかったわけです。

21世紀になってもう何年も経つというのに、いまだにこうした発想で日報を認識している人が少なくないのは残念なことです。

日報の第2段階は、「連絡書」段階です。日報が部下から上司、上司から部下へと双方向にきちんとやり取りされるようになると、このレベルに上がったことになります。スピードはともかく、社内の日報神経網ができ上がった状態です。

双方向のやり取りが継続して行われるようになると、少なくとも社内のコミュニケーションはよくなります。上司側は、単に部下の行動管理をしようとするのではなく、部下の育成を考え、日々アドバイスや激励をフィードバックするようになります。こうした第2段階の日報を「指導育成日報」と呼ぶことにします。

計画書、情報共有ツールとしての日報に進化させる

第3段階は、「計画書」段階です。「日報は計画書である」と言うと、違和感があるかもしれませんが、その日何をして、どうだったのかという結果報告だけでなく、「次にどう行動するか」という計画も必ずセットで書くようにする日報のことです。

大したことではありませんが、「次にどう行動するか」という計画を日報に書くと、それに対して上司や先輩は事前にアドバイスをすることができます。結果報告では、これがむずかしく、ついつい「ご苦労さん」で終わってしまいます。

この転換が日報の成長過程では非常に重要になります。そして、「次にどう行動するか」という内容に対して上司が事前にアドバイスをするとなると、そのコメントを早く本人に戻してやらなければなりません。そのスピードを上げるためにＩＴ化が必要なことは前述したとおりです。

計画に対して上司や先輩から事前にアドバイスが入れば、それによって本人の行動が変わり、顧客を創造する、要するに成果に結び付く日報に変身します。こうした第3段階の日報を「顧客創造日報」と呼ぶことにします。

「次にどう行動するか」を日報に書くとなると、その時点での状況や相手の反応、競合の動きなど、付随する情報も必要になります。それが書かれていなければ、次にどうしてそう行動するのかがわからないからです。

一方で、こうした情報は全社で共有されるようになり、それを起点としたコラボレーションが生まれ、新しい価値が創造されていきます。これが、日報の第4段階、「情報共有ツール」の段階で、「可視化日報」と呼ぶことにします。

このように、同じ「日報」でも、4つの段階で意味合いも活用方法も違っていることがおわかりでしょう。

進化した日報を活用してモニタリングシステムをつくる

Part1で、「見える化」を進める経営改革の具体的手順を説明しました。〈ステップ6〉は「日々の社員の活動情報が吸い上げられるシステムをつくる」（35ページ参照）でしたが、以上説明してきた第3段階、第4段階の進化した日報を活用してこのモニタリングシステムをつくっていきます。

多くの会社では、「日報を記入するのは面倒だ」、「毎日は大変だから週に1回でいいだろう」

などと横着をしているため、このモニタリングシステムが機能せず、戦略や計画がどれくらい現場の活動に落とし込まれているかという大切な情報を正しく収集できないでいます。

毎日きちんと記入すれば、作業量も少なくて楽なはずです。それを週ごととか月ごとでまとめてやろうとするから、結構大変な作業になってしまいますし、その内容をよく覚えていないものだから、いい加減な情報しか収集できないことになってしまうのです。

可視化経営の導入、定着にあたっては、日報の成長過程を理解し、モニタリングシステムをきちんと回していくことが重要なポイントになります。

4

日報は企業経営の目に見えない実体を映す鏡

会社の風土や企業文化も日報から見えてくる

私は20年にわたり、日報をコンサルティングツールとして活用してきましたが、指導先の社員の方の日報を読ませてもらうと、その会社の実体、実像がはっきり見えてきます。そして、その運用の実態から、会社の風土や企業文化までもが見て取れます。まさに、日報は企業経営の実体を映す鏡みたいなものなのです。

例えば、ＩＴ日報を導入しても担当者がなかなか決められた情報を入力してくれないということがあります。ロクに日報を入力しなければ、現場の定性情報（150ページ参照）が上に上がってこないわけですが、このことによって、会社の方針や決定が現場まで徹底されていない実情、徹底しないことを許してしまう組織風土があることが見えてきます。

また、部下の日報に上司がコメントを入れない、部下指導をしなくて困っているというケースもあります。せっかく担当者が現場の情報を収集してきているのに、それを上の人間が吸い上げようとせず、それに対してフィードバックも与えないわけです。

このことによって、その会社には、上司が部下の業務プロセスに対して興味関心を持っていない、結果さえ出せばそれでよいと考えているという社風が垣間見えてきます。また、管理職、マネジャーというのは名ばかりで、実際には全員がプレイヤーになっているという組織実態も見えてきます。

営業活動の実像や営業担当者の意識もガラス張りに

日報を「報告書」や「連絡書」のレベルから「計画書」レベルに成長させるためには、「次にどう行動するか」という計画を日報に書かせることがポイントです。しかし、担当者がその日の報告は記入しても、なかなか次回の予定を記入してくれないというケースも少なくありません。何度言っても空欄にしてしまうのです。

度重なる次回予定欄の未記入によって、その会社では、結果管理が定着しており、明日どうするか、来週どうするか、来月どうするかという先行管理の習慣がないことが見えてきます。これが営業部門であれば、営業担当者が〝御用聞き営業〟しかしていないことが明らかになるわけです。

〝御用聞き営業〟しかやっていない担当者は、日報にいちいち次回予定を書きません。いや、書けないのです。顧客のところに行ってみないと注文をもらえるかどうかわからないからです。

一方、営業活動は営業担当者が顧客のために価値のある提案を考え、顧客に新しい発見や価値を提供することだと認識している担当者は、自然に顧客に対して次はどういう提案をするかを考えているものです。それを次回予定として日報に入力しておけば忘れませんし、それがそのままスケジュールデータになるので便利です。考えていることを入力すればよいだけのことですから大した手間もかかりません。

しかし、こうしたことを考えていない担当者が次回予定を入力しようとすると、いちいち考えるところから始めなければなりませんから、時間がかかります。そしてついには、「入力が大変だ」、「使いづらい」、「操作がよくわからない」と、ＩＴ日報に対して文句を並べ立てるようになります。

現場で働く人間のモチベーションまで浮き彫りに

例えば、日報に「今日の問題点とそれに対する対策」といった欄をつくると、現場担当者の仕事に対するモチベーションが見えてきます。仕事に対して前向きに取り組んでいて、仕事を自分のものとしている担当者は、こうした欄にきちんと書き入れてくれるものです。その人の問題意識が表れるところだからです。

しかし、仕事に対してネガティブで、モチベーションの下がっている人間は、こうした欄の書き込みが非常にいい加減だったり、「なし」ばかりだったりするものです。これは１日、２日見ただけではわかりませんが、毎日何ヵ月も見ていると、その本人の心の状態がわかってくるものです。

長年ＩＴ日報を活用している経営者やマネジャーに話を聞くと、「会社を辞めそうな人間は、日報を読んでいればだいたいわかりますよ」と言う人が少なくありません。「日報を読んで、怪しいなぁと思っていたら、退職の挨拶に来たりするんですよ」と苦笑いしていた方もいました。

ＩＴ日報による現場の可視化は、そこに書き込まれる内容によって伝達される情報はもちろん、そこには入力されない、目には見えないものもいろいろと伝えてくれるのです。

5

現場の定性情報と定量情報を重ね合わせて実体を浮き上がらせる

現場の定性情報、定量情報とは

日報の話をしてきましたが、いうまでもなく日報だけですべて正確に現場情報を把握できるわけではありません。日報で吸い上げる情報は現場の細かいアクション情報であったり、ニュアンス情報であったりと、定型化がむずかしい定性情報です。その情報価値は高いのですが、どうしても担当者の属人的な主観や思い込みなどが反映されてしまうという限界があります。

そこで、主観が混じってしまうけれども、微妙な変化や数字には現れない先行的な予兆を吸い上げる定性情報と過去の事実を正確に数値で表す定量情報を重ね合わせて、そこに正確に実体(真実)を浮き上がらせる仕組みが必要になってきます。

例えば、日報から「Aという自社商品の評判が非常によい」という情報が上がってきたとしましょう。これだけでAという商品が顧客に喜ばれていると鵜呑みにしてはいけません。必ず定量情報をチェックします。「ではその商品Aの売上推移はどうなっているのか」と基幹システムの販売管理データを確認するわけです。

データを確認すると、実際には大して売上が伸びていないかもしれません。そうであれば、担当者が適当なことを言っているのか、評判はよいけれども実売につながらない何か問題があるのか、いまはまだ実績が出ていないけれどもタイムラグがあってこれから売上が伸びてくるのか、といったより深く突っ込んだ考察が可能になります。

もし、販売管理データで確認して、商品Aの売上が前月比で20％伸び、前年対比で2倍に伸びていたら、「評判が非常によい」というのがどの程度のことなのか、数字で特定することができます。逆に、定量情報だけを見て、売上が上がっているからよく、売上が下がっているからダメともいいきれません。

販売管理データを見たら、商品Aの売上が伸びていたとしましょう。実際にデータがあるわけですから、商品Aは顧客から支持されていると思いたいところです。しかし、日報を見てみると、「本当は競合のBという商品目当ての顧客が多いのだが、そのBが売れ過ぎて品切れになっており、仕方なくその代替品としてわが社の商品Aが売れている」という情報があったとしたらどうでしょう。売上が伸びたからといって喜んでいる場合ではありません。競合のBが品切れしている間に、商品Aを改良してBに負けない商品に仕立て直したいところです。

情報の裏にある真実をつかむ「可視化経営システム」

一般に定量情報は、過去データです。これは実績であり、事実を表しています。しかし事実だから100パーセント信じてよいのかというとそうではなく、事実の裏にある真実をつかまなければ次の手を打つことができません。

一方の定性情報は、リアルな現在進行形のデータです。微妙なニュアンスや感覚など、真実をつかむために有効な情報が混じっています。しかしそこには主観が混じったり勘違いがあったり、文章表現能力の差が表れたりするものです。

この定量情報と定性情報を重ね合わせるようにして、その情報の裏にある真実を可視化しようとする仕組みが「可視化経営システム（ＶＭＳ）」であり、そのモニタリング画面（定量情報と定性情報を集約して一覧表示する経営コクピット）が「経営コンパスコープ」です（38～39ページ参照）。

「売上は増えたけれども、受注単価は下がっていて、商談期間も延びている」というケースで考えてみましょう。

売上や受注単価の情報は、販売管理システムから取れますが、商談期間はＩＴ日報からしか収集できない情報です。それらを並べてバランスを見ながら、おかしいなと思ったら、カチカチッとマウスをクリックしてＩＴ日報の商談情報を引っ張り出して商談が長期化している原因を探ったり、そこから担当者の活動工数の分析画面に飛んで無駄な工数がかかっていないかをチェックしてみたりするわけです。

このように、定量情報と定性情報を行き来しながら、真実をつかんでいく仕組みが「経営コンパスコープ」であり、そこに必要なデータを供給しているのが、現場の活動状況を吸い上げるＩＴ日報と基幹業務システムであるＥＲＰです（次ページの図参照）。

可視化経営システム（Visibility Management System）

定量情報を収集する

ERPと定性情報を収集するIT日報とそれらの情報を

一元集約する経営コンパスコープが連動することで

「可視化経営システム」ができあがる！

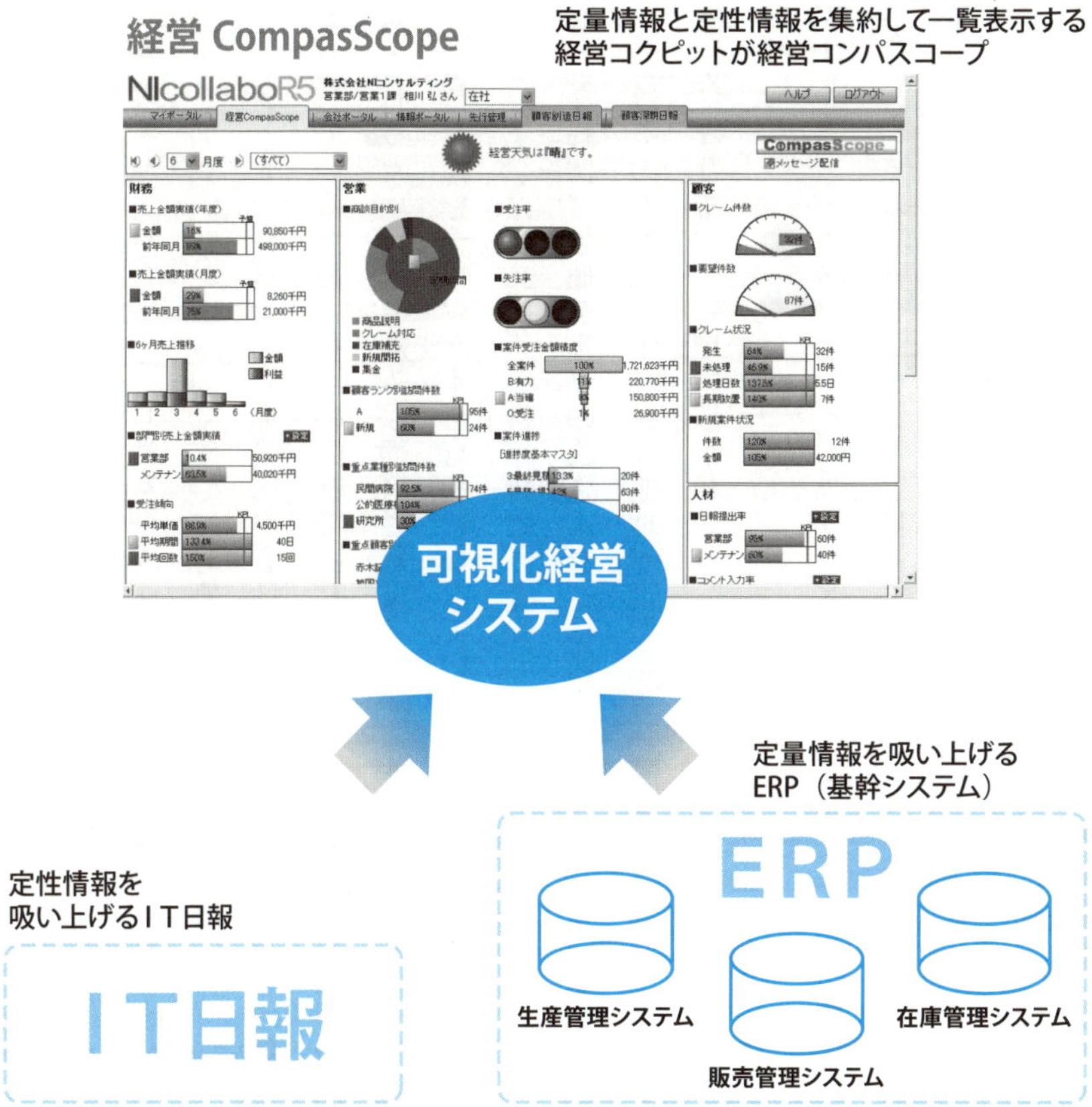

現場の活動がガラス張りになってコンプライアンスが徹底

「経営コンパスコープ」が稼動し、日々のＩＴ日報が回るようになると、現場の活動がガラス張りになり、異常値や不正なアクションについてすぐに対処できるようになります。

上場企業に対してはコーポレート・ガバナンスを強化する日本版Ｓｏｘ法の施行などの動きがあり、企業の不祥事も多発しているため、多くの会社では社内の手続きや業務の流れを定型化し、それに基づいて業務を行うという取り組みが徹底されてきていますが、ほとんどが手続き上の管理であり、数値的な整合性をチェックするものになっています。

「数字は嘘をつかない」と言う人もいますが、「数字ほどごまかしやすいものはない」というのもまた真実です。その気になれば、数値データの改ざんなどは簡単にできてしまいます。社会保険庁の年金横領事件などはその典型例です。業務処理が定型化され固定化されればされるほど、その裏を突くのは簡単になります。処理方法がわかっているのですから、それに沿って不正をすればよいだけです。

しかし、「経営コンパスコープ」に複数のデータが同時に表示され、そのバランスが見られていれば、その裏にある実体としての活動データ（ＩＴ日報）によるモニタリングは、そう簡単にごまかすことができません。

例えば、企業の不正事件でよくある架空取引のケースです。架空の伝票をつくり、架空の見積書を作成したり、架空の発注をしたりすることはできても、実体としての人の動き、モノの動きはつくり出すことができません。社内の業務フローを見ているだけでなく、個々の社員のＩＴ日報をモニタリングしていれば、架空取引などはすぐにバレてしまいます。

コンプライアンスの徹底、内部統制の強化のためにも、現場の可視化は不可欠であり、そのためには、定量情報のバランスを見、定量情報と定性情報を重ね合わせるという仕組みが必要なのです。

食品関係の企業で多発した消費期限問題や品質表示の改ざん、検査データの無視など、定量情報にはまったく異常値が出てこない問題も社内では少なくありません。しかしＩＴ日報のモニタリングシステムがあれば、誰かしら異常を知らせてくれるものです。少なくとも幹部や社長がその事実を知らなかった、ということにはなりません。

記者会見に出てきた社長が「まったく知らなかった」と釈明するのが本当かどうかわかりませんが、やはり経営者として社内で起こっている事故や事件をまったく知らないのでは経営責任が果たせないわけで、悪意がなくても無能な経営者であったことは否定のしようがありません。

これはお勧めできませんが、仮に内部のマイナス情報を隠蔽するにしても、経営者や幹部がそのことを把握しておかないとコントロールができないはずです。隠蔽していることをまったく知らずに、いきなり内部告発でもされて事件化したときの社長の気持ちは察するに余りあります。

もちろんいまの時代、社内の不正やマイナス情報を見て見ぬフリをしたり、隠蔽したり、改ざんしたりするようなことは許されません。現場の一社員が、悪意もなく、不注意で起こしてしまった不正であっても、会社としての責任が問われ、そのことについての説明責任まで求められる時代である以上、社内で何が起こっていて、それに対して誰が何をしようとしているのかという現場情報を可視化し、把握しておくことは絶対に必要なのです。

ここまで考えると、戦略の可視化からマネジメントの可視化、そして現場情報の可視化という3層構造に加えて、「部門間の可視化」という4つ目の視点と、さらにそうした情報を社外に向けて可視化するという5つの可視化（次ページの図参照）が求められることにお気付きになるでしょう。特に5つ目の「社外への可視化」は、近年、企業の社会的責任が問われるようになって重要性を増しているといえます。

5つの可視化

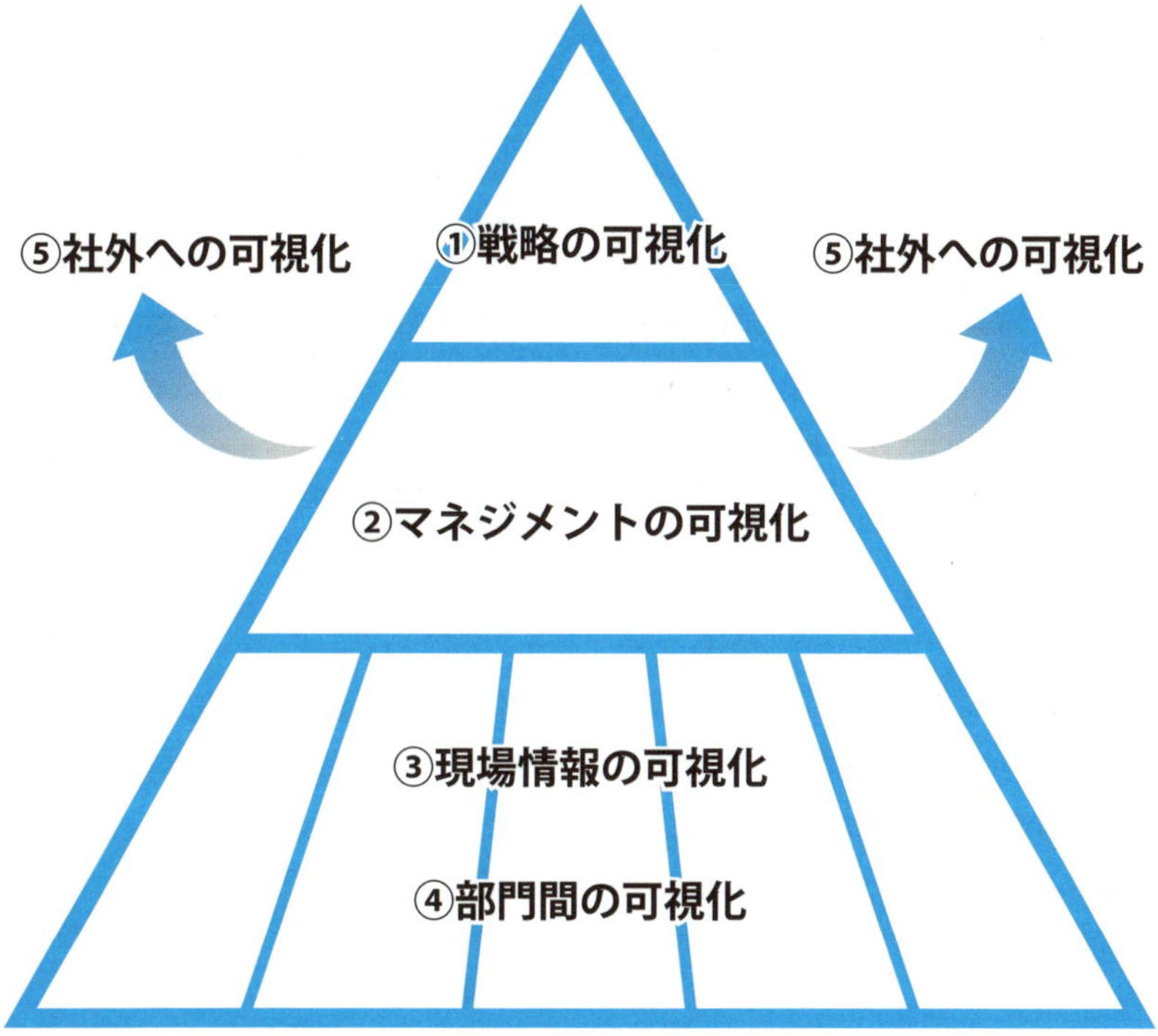

可視化には、戦略、マネジメント、現場の3階層があり、「現場の可視化」は「部門間の可視化」という視点も持つ。さらに、社員だけでなく「社外への可視化」も必要となっており、5つの可視化が求められている！

Column

日報に都合の悪いことを書く人はいない？

「日報を書いても都合の悪いことは書かない」、「日報には嘘が多い」などと日報を否定する経営者や管理者がいます。これは飲酒運転やスピード違反の取締りを自主申告で行うような発想から来るものです。

罰金を払わされる可能性があり、場合によっては逮捕されかねないとわかっているのに、わざわざ自分から警察署へ出頭して「ビールを飲んで運転していました」と申告する人がいるわけがありません。

それと同様に、日報にヘタなことを書くと細かいことをチェックされ文句を言われる、何か問題があると長々と説教されるだけで何のメリットもないと考えている社員が、わざわざ自分にとって都合の悪いことを日報に書いて上司に伝えるようなことは、まずありません。

日報に都合の悪いことを書かなかったり、それをごまかすために嘘を書いたりするのは、上司が部下の行動管理をするばかりで有効なアドバイスや支援をしていないからなのです。日報を正直に書いても本人にメリットがないのです。

どうしても日報に正直に書いてほしければ、課徴金減免制度があることによって、談合の自主申告が行われるような、日報に正直に書けばお咎めなしといった措置が講じられなければなりません。いずれにせよ、日報を社員の行動管理に使って縛り付けようという発想ではうまくいかないのです。

また、「うちの営業マンは上が喜ぶようなことばかりを日報に書いてくる」と嘆いている経営者や管理者もいます。私はこれをなぜ嘆く必要があるのか理解できません。営業マンは相手がどう感じ、どうすれば喜ぶかを察知できる対人感受性を持っていなければなりません。上司が喜ぶようなことを察知し、それを日報に書ける営業マンは、顧客が喜ぶような活動ができる営業センスを持っているといえるのです。

反対に、馬鹿正直に「今日は喫茶店でサボってました」とか「営業車を停めて漫画を読んでいました」などと書くような営業マンがいたら、よほど上司が舐められているか、対人感受性のない証拠ですから、営業部門ではなく他の部門に異動させるべきですね。そんなことを書く営業マンはいませんが……。

日報を「行動管理」の道具であると考えるのはそろそろやめにしましょう。

Part6

「顧客の可視化」で営業現場は活性化する

「経営の可視化」と言うと、つい社内のことばかりに目が向きがちです。財政状態はどうか、在庫はどうか、社員の活動状況はどうか、無駄な経費が増えていないかと社内の状態をつかむことができれば、経営状態が把握できるような錯覚があります。

しかし、企業経営を支える非常に重要な要素として顧客の存在があります。この顧客には、すでに取引のある実際の顧客に加えて、まだ取引はないけれども将来取引をしたいと考えている見込客、すなわちマーケットも含まれます。

どのような顧客がいて、その顧客とどのようなやり取りをしていて、将来その顧客とどのような関係を構築したいと考えているのかということは、その企業の未来を可視化するうえで欠くことのできないポイントです。

もちろん、過去の顧客との関係や取引は、売上や利益など社内の財政状態、業績として認識されます。しかしそれはあくまでも過去の顧客であって、これからの顧客を知ったことにはなりません。

本章では、過去や現在の顧客だけでなく、将来の顧客まで含めて可視化し、営業現場を活性化する方法について解説します。

1 IT日報の活用で、見えないはずの顧客が見えてくる

顧客の情報を社内にフィードバックする営業担当者

顧客は社外にいて、自分たちの思うように動いてくれたり、情報をくれたりする存在ではありません。社内のことなら、必要なデータを揃えることも簡単ですが、顧客のことを知りたいからといって、その情報を簡単に収集することはできません。

そこで登場するのが営業担当者です。営業担当者は、社外にいる顧客に対してアプローチし、その場に行かなければ見えない情報を収集して社内にフィードバックする課報部員としての役割を担っています。

現在は、単に商品を売り込めば売れるという単純な時代ではありません。常に顧客のニーズや競合の動きを把握し、それに対して必要な商品開発や生産、仕入、サービス提供を行っていかなければ、どんなに営業担当者が足繁く通って、顧客に対してヘコヘコ愛想を振りまいても安定した成果をあげることはできません。

顧客現場、マーケット現場に出向き、そこでの情報を吸い上げて、社内に向けて可視化し、

それに対する新商品や新サービスなどを、また顧客に対してフィードバックしに行く情報媒介要員が営業担当者ということになります。

そのときの情報伝達手段がＩＴ日報です。せっかく営業担当者が収集してきた顧客現場の情報は、いち早く上司や他部門に伝達し、次のアクションに活かさなければなりません。

ここで大切なことは、ＩＴ日報で吸い上げる情報は、営業担当者の行動ではなく、顧客の反応やニーズ、競合他社の動きだということです。これが日報の成長過程で第１段階の「行動管理日報」から第３段階の「顧客創造日報」、第４段階の「可視化日報」に成長させなければならない理由です（141ページの図参照）。

営業担当者の役割は時代とともに変わる

人口が増加し、物不足で、作れば売れ、売れれば儲かった時代には、無限のマーケットが拡がっていたわけですから、そこに対する営業担当者の活動がいかに効率的であるかが重要なポイントでした。その時代には、営業担当者の活動状況を管理する「行動管理日報」が有効だったのです。

しかし、いまは人口減少で、物余り、マーケットは縮小に向かっています。当然のことながら、管理すべきは減っていく顧客の側にシフトしているわけです。

営業担当者が顧客のもとを訪問し、そこでいろいろな会話をすることで、顧客のニーズやその背景が見えてきます。その情報がＩＴ日報で共有され、全社に可視化されることで、個々の営業担当者では気付かなかった全体像が見えてきて、また新たな発見があったりするのです。

個々の顧客に実際に接している営業担当者だからといって、必ずしもマーケット全体の動向もつかんでいるとはかぎりません。個々の営業担当者には見えなかったけれども、ＩＴ日報で情報を共有することによって見えてくる情報もあるのです。

2

「顧客を知る」とは、顧客の判断基準を知ること

顧客を創造する日報の活用

Ｐａｒｔ５で「日報の４段階」について述べましたが、「顧客の可視化」のためにはまず、日報を３段階以上に成長させなければなりません（141ページの図参照）。

営業担当者が自分がサボっていないことを上司に訴えるために記入する「行動管理日報」では、いくらびっしり書かれていても、顧客を可視化することなどできません。顧客の可視化が始まるのは、「次にどうするか」という次回予定を入力する「顧客創造日報」からです。

「次にどうするか」を書き込むためには、前回訪問したときの顧客の反応や状況もいっしょに書かなければなりません。

例えば、ある顧客を訪問して、Ａという商品を提案したら、「おたくの商品が優れているのはわかったけど、ちょっと高いな」という反応だったとしましょう。そこで次回の訪問では、イニシャルコストだけ見ると高いように思うが、ランニングコストまで考えれば２年か３年で総費用は抑えられるという資料を用意してコストの話を詰めると考えました。

次回予定にその旨を書き込む際には、「ちょっと高いな」と顧客が価格に懸念を示したという反応を書いておかなければ意味が通じません。「商品Aを提案した。次回はコストの話を詰める」と書かれているだけでは、なぜそうした展開になるのかわかりません。

したがって次回予定の欄には、次のように書くべきです。

「商品Aを提案したところ、内容については評価してもらったが、価格に懸念を示されたので、次回はイニシャルコストとランニングコストがわかる資料を作成してコストの懸念を払拭しに行きます」

顧客の本音や本心、実情を推察する

さらに、ここで推察を入れます。例えば、「ちょっと高いとは言われたけれども、そのときの表情やその前後の話の流れから、予算内には充分に収まっていて、価格的には問題なさそうだ」と思ったら、そう書いておくのです。

実際に予算内に収まっているかどうかはわかりませんが、そこを推察して判断するわけです。まともな営業担当者であれば、こうしたことは当たり前にやっていることです。

顧客の言うことを鵜呑みにしていては営業活動はできません。必ず背景や意図を読み、裏事情を勘案しながら、顧客の本音、本心、実情を把握しようとするものです。これをここでは「推察」と呼びます。この推察を日報に書いておくことが大切なのです。

「予算内で価格に問題はない」と推察したのに、実際には競合他社の安い商品に負けてしまっても、日報に書かれていれば、敗因分析がきちんとできるわけです。

多くの営業担当者は日々の活動のなかで、無意識に顧客に対する推察を行っていますが、それを記録したりはしません。だから、何回か商談をしているうちに忘れてしまっていることが多いのです。そのため、競合他社の低価格品に負けたりすると、「あのお客さんはケチです」とか「予算があるようなことを言っていたのですが、嘘でした」などと失注が顧客のせいであるかのように上司に弁明したりするものなのです。

これでは正しい顧客情報が収集できず、営業活動のレベルも上がってきません。

商談回数を重ねるごとに見えてくる顧客の判断基準

このように1回1回の推察には、読み違いもあります。しかしそれがＩＴ日報で蓄積されるので、商談回数を重ねるごとに、その顧客の価値基準、利害得失の判断基準が見えてきます。

「顧客を知る」とは、顧客の情報をただ集めるのではなく、その顧客の判断基準を知ることです。例えば、新商品が出たときに、訪問して説明をしてみて、「どうですか？」と聞かないと買うかどうかがわからないということでは顧客を知ったことにはなりません。

新商品が出たら、「この価格でこの商品なら、あのお客様は絶対に買うな」とか、「あと30円安ければ買うだろうけど、この価格だと買わないだろう」といった判断ができるくらいでなければなりません。こういう推察ができてはじめて、見えないはずの顧客の判断基準が可視化されることになるのです。

孫子の兵法でも、「之《これ》を策《はか》りて得失《とくしつ》の計を知り、之を作《おこ》して動静の理を知る」と、敵の動きそのものをつかむよりも、敵がどういう判断をするのか、何を基準に動くのかを知ることが重要であると説いています。判断基準がわかっていれば、その都度相手の動きを見て、焦って対応する必要はありません。相手の動きを読んで先回りすることができるのです。

こうしたことが可能になるのは、IT日報が「蓄積・保存性」、「再利用性」に優れているからです（139ページ参照）。その場その場の情報を吸い上げて共有するだけでなく、過去からの情報の蓄積が見えないはずの顧客を可視化してくれるのです。

視・観・察で顧客を可視化する

見えないものを見ようとするときに、参考になるのが、『論語』の次の一節です。

「子曰《しいわ》く、其の以《な》す所を視《み》、其の由《よ》る所を観《み》、其の安《やす》んずる所を察《さっ》すれば、人焉《ひといずく》んぞ廋《かく》さんや、人焉んぞ廋さんや」

孔子が弟子に対して、人物鑑定の方法について述べたもので、「視・観・察の教え」と呼ばれるものです。

人物を評価するためには、まずその行為をありのままに見よと言います。これが「視」です。次に、その人物が過去から行ってきた経緯を見て、その人の生い立ちを知れと言います。これが「観」です。最後に、その人物の意図や動機、目的を考えてみよと言います。これが「察」です。この3つの視点で見ていけば、人はその本性を隠すことはできないと言うのです。

本来見えないはずの顧客を、営業担当者を通して社内に向けて可視化するためには、この「視・観・察」の視点を持つ必要があります。「視」は、その場でパッと見ることですから、客先を訪問している営業担当者にしかできません。

しかし、これだけでは可視化はできません。だから「観」も必要です。過去からの経緯を見てみると、それまで見えなかったものが見えてきます。これがIT日報の履歴情報となります。蓄積されたデータを並べてみて、その顧客の本当の姿を浮き彫りにさせるのです。

そしてその過去からの蓄積のなかに、「察」を盛り込むのが推察です。営業担当者は顧客の意図や目的、裏事情を推察して情報を残します。これを過去から遡って読み返していくと、その顧客の真意、狙い、本音が見えてきます。

単にその場の顧客の情報をIT日報で伝えるだけでは、「視」で終わってしまいます。それを蓄積し、保存するから「観」という見方が可能になります。そしてそこに、現場で顧客の微妙なニュアンスや感覚を感じることのできる営業担当者の推察を加えることで、「察」の視点を持つことが可能になるのです。

この3つの視点が揃ってこそ、見えないものが可視化され、実体を診て断じる「診断」が可能になるのです。「見」⇩「視」⇩「観」⇩「察」⇩「診」へと、同じ見るのでも切り口やレベルが違うわけです（次ページの図参照）。

IT日報を、単に現場の担当者がその日の活動報告を上げてくるものではなく、見えないものを可視化するための神経だと認識していれば、こうした活用が可能になるのです。

見→視→観→察→診の違い

見 ただ見ている　ボーッと見る　目に映る

視 パッと見る　ジッと見る　注意して見る

観 比べて見る　並べて見る　経過を観察する

察 裏を見る　中身を読む　意図を探る

診 総合して見る　判断する　実体をつかむ

3

顧客が見えてくれば、全社営業体制が動き出す

顧客の声を営業担当者が伝言するだけでは他部門は動かない

顧客のニーズや競合他社の動きが見えてくると、そこには新商品や新サービスなどをつくるヒントがあったり、顧客満足度を上げていくアイデアがたくさん落ちているものです。人口減少のマーケット縮小時代には、新しい商品や分野へのチャレンジが必須ですから、こうした情報は大変ありがたく、また価値のあるものです。

しかし、そうしたありがたい情報も、社内では必ずしも歓迎されず、実際の開発や改善に活かされないことが少なくありません。これはどうしてなのでしょうか。

顧客からのクレームや要望は営業担当者が聞いてきて、営業部内でまず報告がなされます。そこで似たようなクレームが頻発していたり、同じような要望が何度も上がってくるようだと、該当部署に伝えられます。そのときの伝えられた側の受け止め方が問題なのです。

「もっと安くしてくれ」、「もっとかっこいいデザインにして」、「もっと早く持ってこい」、「もっと機能を付けろ、値上げせずに」、「まずいから、もっとおいしくしてくれ」といった顧

客の声があれば、それを真摯に、また謙虚に受け止め、改善していくしかないのです。が、現場で朝から晩まで一生懸命頑張って仕事をしている人にとっては、「いまでも大変なのに、これ以上どうすればいいのか」と、頭ではわかっていても、心が受け容れられない状態になることが多いのです。

しかも営業部門からの伝え方が、顧客の声の代弁者として強気なものですから、「また営業部の都合のいいことばかり言いやがって」と、よけい感情的に拒否したくなるわけです。もし「そんなこと言ったって無理ですよ」とでも言おうものなら、「なにー、お客様がそう言っているのだ！　実際に客先に行って怒られている俺たちの身になってみろ」などと激昂されたりするものですから、口先では「わかりました、検討します」くらいのことは言うものの、腹の中では「できるわけねーだろ、そんなにやりたかったら営業部でやってくれ」と思っていたりするのです。これでは、せっかくの顧客の声が活かされるはずがありません。

クレームや要望が目に見えれば動かざるを得ない

顧客のニーズや要望、クレームなどがＩＴで処理され、情報が全社で共有されるようになれば、いちいち営業部門で取りまとめて〝伝言ゲーム〟をすることはなくなります。

各営業担当者が現場で言われたことや、顧客サポート窓口で受けたクレーム、物流担当者が配送時に言われた要望などが、そのまま書き込まれます。それを該当部署の人間は毎日イヤでも目にすることになるわけです。

毎日毎日、これでもか、これでもか、と言わんばかりにクレームや要望が入ってくると、最初のうちは、「できるわけがない」、「そんな余裕はない」と見て見ぬふりをしていたような人も無視できなくなり、「これだけ言われている以上、対応するしかない」という気持ちに変わってくるものです。

受け止め方が変わると動きが出てきます。もともと、顧客に喜ばれたくない人などいません。誰もが、どうせ仕事をするなら顧客に満足してもらって売上も利益も上げたいと考えているからです。ここでポイントは、顧客の声が生のまま伝わるということです。営業部門を通しての〝伝言ゲーム〟では、顧客の声がいつの間にか社内の声になってしまって、部門間の軋轢を生んでしまうのです。

受注見込みが目に見えると全社の効率が上がる

顧客が見えてくれば、当然そこにある見込案件、見込物件が見えてきます。非営業部門では、個々の顧客の細かい情報よりも、そこから上がってくる案件や物件の動きや見込度、受注予定時期、規模、数量などの情報のほうが重要だったりします。

ですから、ＩＴ日報で顧客自身の可視化を行うと同時に、案件、物件の受注見込みも可視化します。これで受注の先行管理が可能になるので、仕入部門や製造部門では購買計画や生産計画を、より実際の受注に合わせて組むことができるようになりますし、物流部門や施工部門などでは、先々の計画をより具体的に立てておくことが可能になります。

174～175ページに受注先行管理表の例を掲げておきますのでご覧ください。

この先行管理の仕組みができ上がると、無駄な仕掛品や在庫が減り、リードタイムが短縮され、作業効率も上がりますから、全社的に非常に効率がアップします。

見込案件、見込物件の受注先行管理は、どの会社でもやりたいことですし、取り組んでいる会社も少なくありませんが、多くの場合、情報のメンテナンスがうまくいかずに、結局受注予測データの精度が悪くてうまく回らなくなってしまいます。

なぜそうなるかというと、受注見込みのモニタリングの頻度が低いからです。週に一度、月に一度といったタイミングの更新だと、実際の受注見込みは日々変化していますから、誤差が大きくなり、そのメンテナンスに抜けや漏れが発生したりして、なかなか受注予測の精度が上がりません。

それに対して、可視化経営ではＩＴ日報による日々のモニタリングシステムがあります。日々の商談で発生した見込みのズレや確度変更、金額や数量の修正などが、その日に行われますから、誤差が少なく、抜けや漏れも発生しにくくなるのです。

日々、現場の実体を可視化することによって、現場で発生する商談や見込案件、見込物件が確実に捕捉されることになります。ここを各担当者の裁量に任せてしまうと、どうしても〝隠し玉〟を持ってしまったり、受注時期の操作や急な数量変更、事後登録などを許してしまうことになるのです。そうしたことが許されるようになると、最後には架空取引や横流しなどの犯罪行為に手を染めてしまう人間を生んでしまうことになるので注意が必要です。

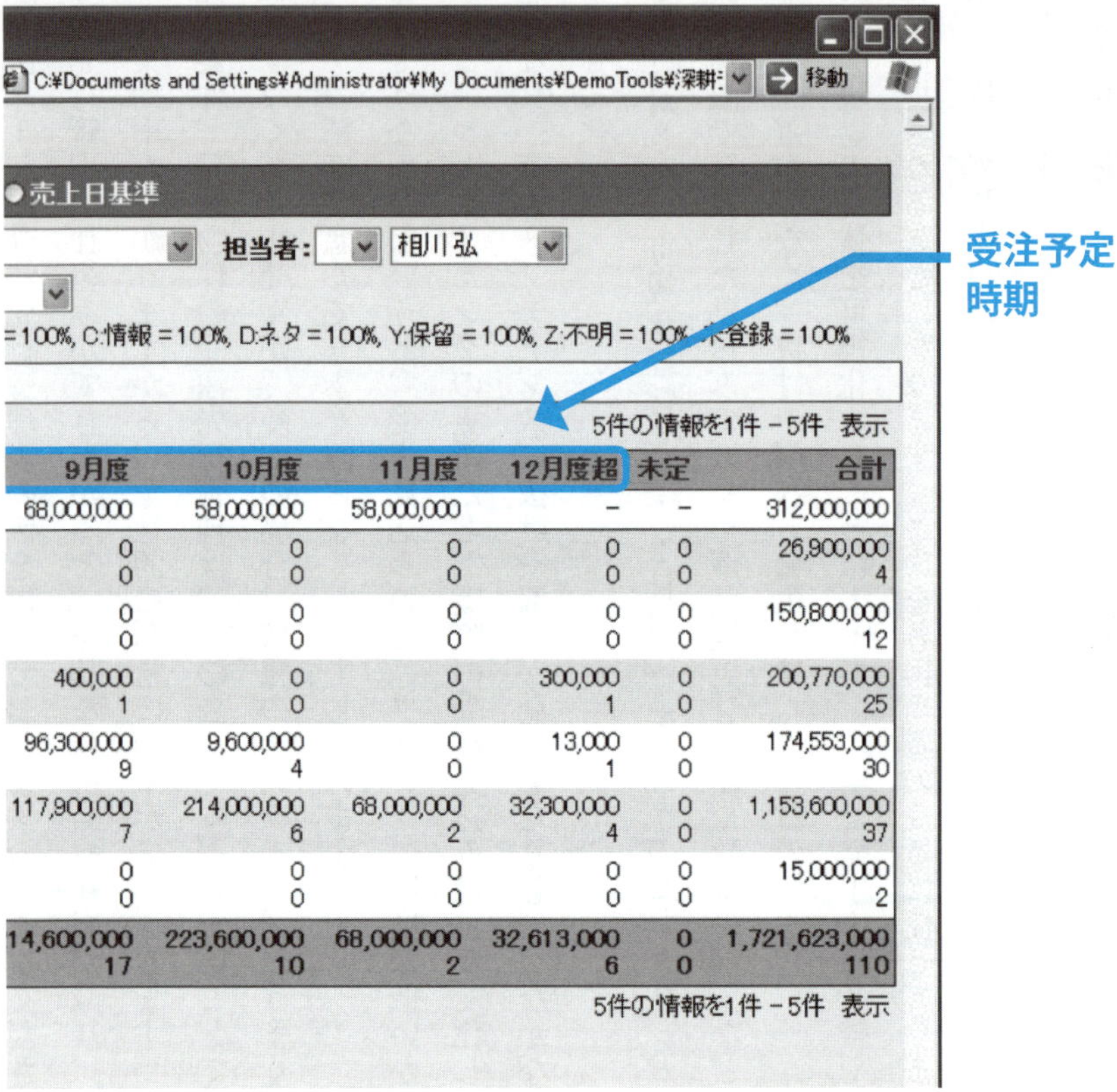

9月度	10月度	11月度	12月度超	未定	合計
68,000,000	58,000,000	58,000,000	–	–	312,000,000
0 0	0 0	0 0	0 0	0 0	26,900,000 4
0 0	0 0	0 0	0 0	0 0	150,800,000 12
400,000 1	0 0	0 0	300,000 1	0 0	200,770,000 25
96,300,000 9	9,600,000 4	0 0	13,000 1	0 0	174,553,000 30
117,900,000 7	214,000,000 6	68,000,000 2	32,300,000 4	0 0	1,153,600,000 37
0 0	0 0	0 0	0 0	0 0	15,000,000 2
14,600,000 17	223,600,000 10	68,000,000 2	32,613,000 6	0 0	1,721,623,000 110

5件の情報を1件 - 5件 表示

⊙営業部門が先行管理によって先手を打つだけでなく、受注後に業務が発生する仕入部門、製造部門、開発部門、物流部門などでも、先行して対応することが可能となる。

受注先行管理表の例

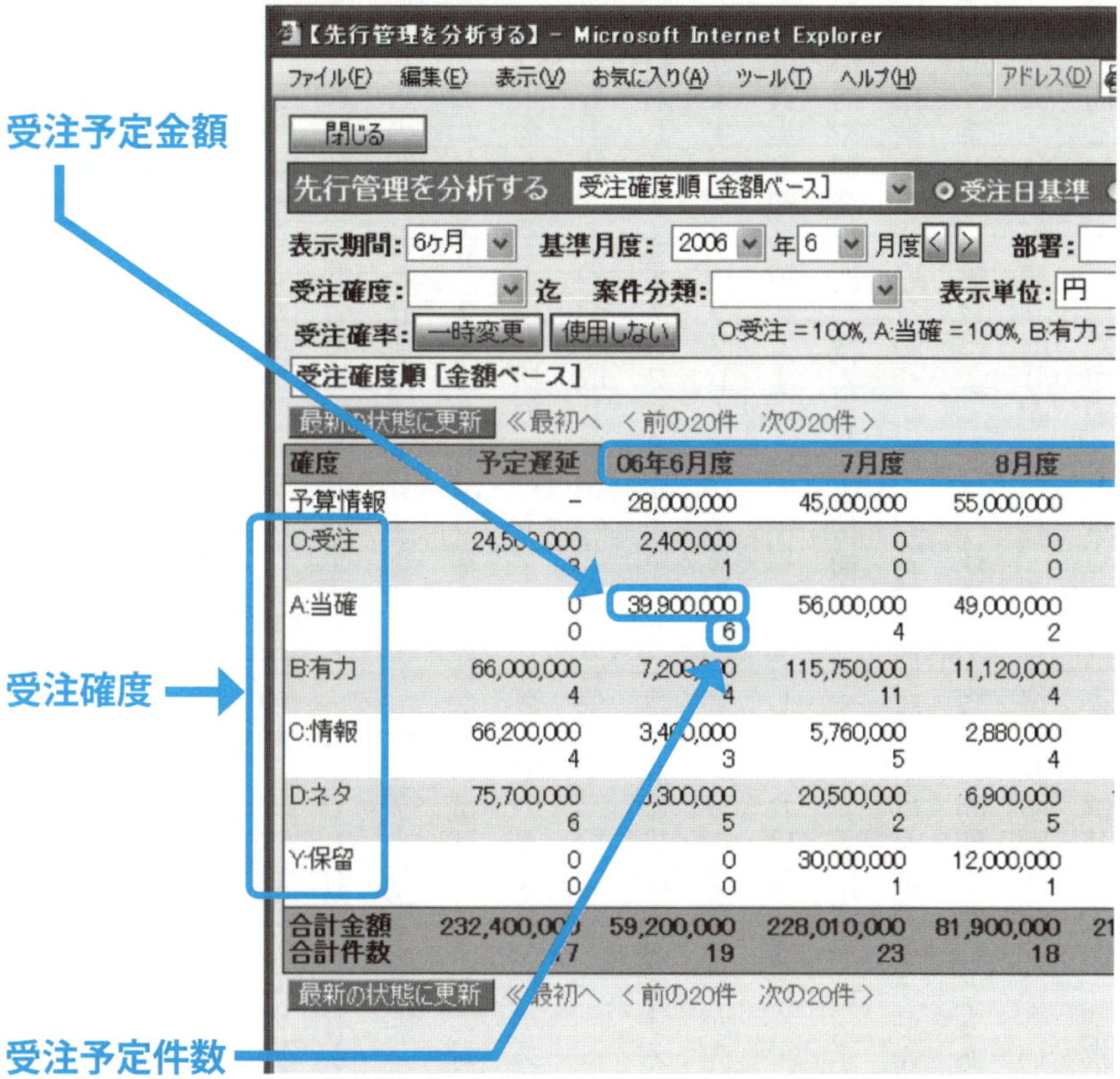

⊙上に掲げた受注先行管理表は、受注予定時期と受注確度（受注見込みが高いかどうか）に合わせて、見込案件が集計され、金額や件数、数量などが把握できる仕組みになっている。

⊙この表に入っているデータは、日々入力されるIT日報によって常に最新の状態にアップデートされるため、予測精度が高くなる。

顧客に対応している部署は営業部門だけではない

「顧客の可視化」というテーマで、営業部門、営業担当者を中心に説明してきましたが、ちょっと冷静に考えれば、営業部門以外での顧客接点も多いことがわかります。

最近、活用することが多い、インターネットのホームページからの問い合わせや資料請求の対応。これはどこの部署で対応していますか？ ここでも対応の共有が必要です。

顧客からの問い合わせ窓口はありますか？ 「ユーザーサポートセンター」とか「お客様相談窓口」とか名前はさまざまでしょうが、顧客からの電話やメールに対応する部署です。大企業ではコールセンターに一括でアウトソーシングしているようなケースもあるでしょうが、その場合でも当然、そのやり取り情報の共有が必要です。

顧客に対してメンテナンスやサポート、サプライ品の供給で対応する支援部隊も顧客との接点があります。どういうクレームがあるのか、どういうサプライ品が売れているのか、といったことは貴重な顧客情報です。この情報も共有しなければなりません。

製造部門や開発部門の技術者が直接顧客対応することも増えているのではないでしょうか。専門的、技術的な問い合わせには、お客様窓口だけでは対応できませんから、専門家が出ていくしかありません。場合によっては、技術者が客先に訪問することもあるでしょう。そうなると、当然突っ込んだやり取りが行われ、そこで得られる顧客情報は多いはずです。

経理部門というと、内勤で顧客と接点がないように感じますが、請求書の発行や売掛金の回収など、意外に顧客とのやり取りがあったりするものです。請求書の発行ミスがあったり、売掛金の回収などがあった場合、その情報は担当営業も知りたいはずです。知っていなければなりません。当然そうしたやり取りの情報も共有し、蓄積しておかなければなりません。

物流部門、配送部門は、客先に納品に行くわけですから、けっこう顧客情報が集まっているはずです。実際に現場に行けば、顧客の動きを実際に目にすることができるわけです。仮に顧客とは一切会話をしなかったとしても、いろいろな情報を取ってくることができます。

誰が対応しても顧客とのやり取りが共有される仕組みを

このように見ていくと、営業部門だけが顧客対応しているわけではないということがご理解いただけると思います。したがって全社的にＩＴ日報によるモニタリングシステムが動いていなければなりません。

顧客からしてみれば、どの部門と接点を持とうと、その会社との接点であり、そのやり取りした内容が社内に伝わっていない、共有されていないというのは許されない問題です。「この間、別の人に説明したのに、また同じことを聞くのか」と言いたくなる瞬間ですね。これは多くの方が経験している顧客不満足体験だと思います。

どこの部署でも、誰が対応しても、確実にその顧客とのやり取りが共有され、蓄積・保存される仕組みは、顧客満足度を上げるためにも有効なシステムです。顧客の情報は営業部門に任せておけばよいというのは、20世紀の発想であるといわざるを得ません。

4
業績アップに直結する顧客データベースづくりを

取引できなかった顧客の情報も蓄積

顧客の可視化が進み、顧客情報が共有されていくと、このデータベースが顧客のダムになります。

顧客のプロフィールから、全社での顧客とのやり取り、そしてその際の推察、発生したクレームや要望、それへの対応結果、さらにその顧客から発生した案件や物件の状況など、さまざまな情報がＩＴ日報のモニタリングシステムを通じて蓄積・保存されていきます。

蓄積・保存したものは、当然再利用しなければもったいないですから、これを顧客のダムとして活用します。顧客には、まだ取引のない、見込段階の顧客や失注してしまった顧客も含みますから、日々顧客のダムには新しい顧客が登録されていくことになります。

どの会社でも、受注して取引が発生した顧客の情報は持っています。請求書を発行したりするからです。しかし、失注した先の情報まできちんと蓄積している会社は非常に少ないのです。これから顧客はどんどん減っていくというのに、まったくもったいない話です。

そのときは買っていただけなくても、どういうニーズがあるのかを聞いて情報を蓄積しておけば、そのニーズに合った新商品を販売するときに役立ちます。そうした情報が蓄積されれば、検索して新商品の見込客をピックアップすることも簡単にできるようになります。

競合他社に案件を取られてしまったケースでも、その情報を蓄積しておくのです。失注したときは、裏を返せば顧客が断ったときであり、多少申し訳ないという気持ちもあって、いろいろな情報を教えてくれるものです。

あまり矢継ぎ早に質問したら気分を害すでしょうが、「どちらで買われたのですか?」、「おいくらでしたか?」、「現金でしょうか? リースにされましたか?」、「何年リースですか?」といったことを、さりげない会話の中で聞いて、IT日報に情報を登録しておきます。

そして、5年リースであれば、4年後にお知らせを出してくれるように日報にセットしておきます。すると、リース切れ1年前に、パソコンの画面にその失注した顧客が出てきます。

考えてみてください。4年後です。話を聞いたお客様はすっかり忘れているでしょうし、営業担当者本人も異動や転勤、あるいは退職してしまっているかもしれません。しかしIT日報は覚えていて、4年後にそれを教えてくれるのです。

そこで、その4年前の商談の履歴情報を読み返して、その顧客のニーズや検討の背景などをおさらいし、ご連絡です。「そろそろリースの切り替え時期かと思いまして」というわけです。

こちらは相手の事情も、いまどういう商品を使っているかも知っています。相手の事情に合わせて提案すれば、新規開拓でゼロから見込客を発掘するよりも、格段に優位に営業活動を進めることが可能です。

顧客の側も、前回検討時の事情を知っている相手のほうが安心でしょうし、場合によっては、顧客側の担当者が異動や転勤になっていて、前回の事情をよく知らないというケースもあります。そうすると、顧客よりもこちらのほうが細かい事情に詳しかったりすることもあるわけです。もちろん今度は「視・観・察」（167ページ参照）で相手の判断基準もつかんで商談を進められますから、相手の判断や検討材料を先回りして手を打つこともできるのです。

苦労せずに顧客を釣り上げられる〝釣り堀〟状態に

こうなると、顧客のダムは、さながら〝釣り堀〟のようなものになります。ニーズを持った顧客が、時期になるとプクーッと水面に上がってくるのです。こちらはそこに釣り糸を垂らせばよいのです。そろそろ買おうかなという顧客が近づいてくると、ＩＴ日報が知らせてくれて、そこをめがけてサッと釣竿を振ればよいのです。

〝釣り堀〟だけでは飽きてしまいそうなら、気分転換に新規開拓に出かけましょう。新規開拓は海や川で釣るようなものですから、当たり外れがありますが、営業の醍醐味はあるでしょうね。当たればＯＫ、外れれば、また情報を収集してダムに放流しておきます。新規開拓にもムダがありません。

これは、孫子の兵法の「積水の計」に相当します。孫子は「勝者《しょうしゃ》の民《たみ》を戦わしむるや、積水《せきすい》を千仞《せんじん》の谷に決《けっ》するがごとき者《もの》は、形《かたち》なり」と、軍隊に勢いをつける戦い方をすべきだと説い

顧客のダムをつくる

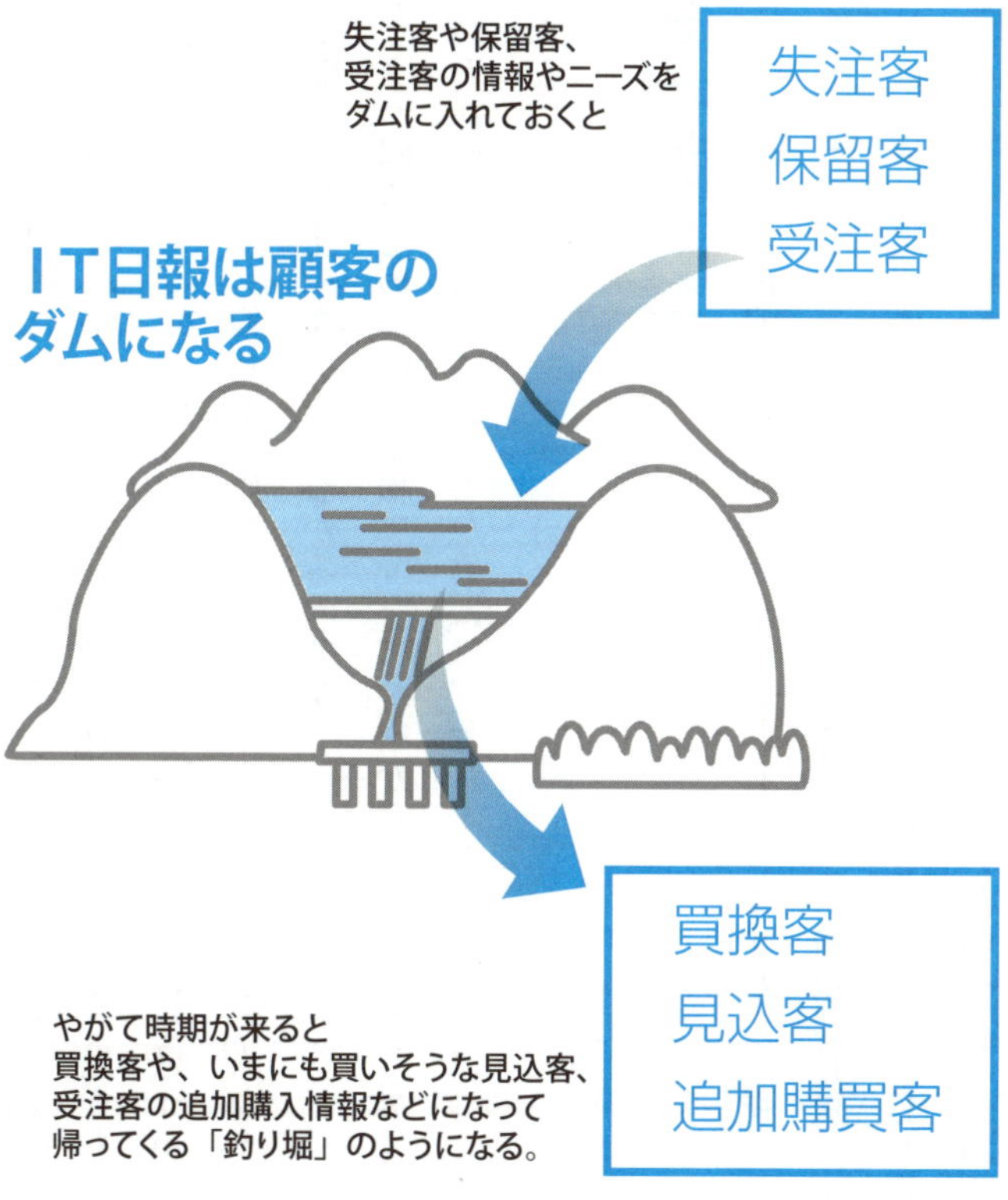
失注客や保留客、
受注客の情報やニーズを
ダムに入れておくと
失注客
保留客
受注客
IT日報は顧客の
ダムになる
買換客
見込客
追加購買客
やがて時期が来ると
買換客や、いまにも買いそうな見込客、
受注客の追加購入情報などになって
帰ってくる「釣り堀」のようになる。

ています。水を堰き止めてダムをつくり、それを一気に決壊させるような勢いが大切だというのです。

営業活動においても勢いが重要です。そのためには売れることです。売れればまた次に売ろうと思います。他の営業担当者が売ってくれれば、自分も負けずに売ろうと思うものです。その仕組みをつくるのが顧客のダムです。毎日、日報を書くのは面倒くさいと思うかもしれませんが、それが顧客のダムになって、釣り堀に放流していると思えば、楽しくもなってくるでしょう。そしてそれが実際に、受注や売上につながるのです。

顧客の可視化がうまく回るためには、業績アップにつながらなければなりません。顧客接点の現場にいる忙しい人たちが協力してくれるためには、それが業績アップにつながるものだと確信しなければならないのです。

情報セキュリティの管理は万全に

顧客の可視化が進むと、顧客情報が蓄積され、全社で共有されますが、セキュリティの面で懸念をお持ちの方もいることでしょう。当然、情報セキュリティの強化は必須です。

紙の情報だと、大量に持ち出すのはむずかしいですが、閲覧したりコピーしたり書き写したりしても、特に証拠も残らず、持ち出しても犯人がわかりにくいということがありました。

しかし、情報がＩＴ化されれば、誰がどこの情報にアクセスできるのか、どこまでの情報なら見てもよいけれども、あるレベル以上の情報は見ることはできないといったアクセス管理が徹底されます。また、誰のパソコンからいつアクセスして、どの情報を見、それに対してどういう操作をしたといった情報もきちんと記録に残るようになり（ログ管理）、不正なアクセスがあれば、すぐに対処することができます。

情報セキュリティの一番確実な方法は、顧客情報などを一切誰にも渡さないことですが、それでは営業活動も顧客対応のサポート業務もできないことになってしまいます。それは現実的ではありませんし、いまさら紙にプリントアウトして担当者に持たせるのも、かえって情報の管理ができなくなってリスクの軽減にはなりません。

可視化経営では、共有された情報はすべてサーバーに保管され、各自のパソコンにはネット経由で表示されるだけという運用になりますから、パソコンを失くしたり盗難にあったりしても、ＩＤやパスワードの管理がきちんとできていれば、そのまま漏洩するということもありません。

いまは、中途半端にパソコンが入っていたりして、各自が勝手に顧客情報や見積情報などを持って歩いているようなケースもありますが、重要な情報はサーバーで一元管理して、そこのセキュリティを高める工夫が大切です。

最近は、パソコンや携帯電話自体のセキュリティも充実してきました。指紋認証などは携帯電話にもあったりします。ネット経由でのＩＤやパスワードの変更管理やパソコンや携帯電話などの機器でのセキュリティチェックを徹底することで、安心して顧客の可視化に取り組めるようにしたいものです。

Column

一番大切な財産が顧客である？

社長室に入ると一番目立つところに「顧客第一」と書かれた大きな額を発見。経営理念が「顧客第一」なのだとその社長は説明してくれました。経営理念として顧客満足の実現や顧客の繁栄などを掲げている企業も少なくありません。「お客様あってのうちの会社だ」とおっしゃるわけです。

「なるほど、御社の一番大切な財産がお客様ということですね」と尋ねると、「もちろんそうだ」を威勢のよいお答え。「何をわかりきったことを聞いているのか」とコンサルタントを疑うような視線まで感じます。

「やっぱりそうですよね。ところで、そのお客様の情報である顧客情報はきちんと会社の財産になっているのでしょうか？」と尋ねてみると、なんだか雲行きが怪しくなってきました。

「顧客を財産にしようと思うと、お名前とか住所とか決まりきった情報だけでなく、どういうニーズがあって、どんな人で、どういう事情を抱えておられるのかといった込み入った情報も大切になってくると思うのですが……」と、さらに追い討ちをかけてみると、「まぁ、そういった細かいことは営業担当者が把握してくれているから」とおっしゃります。

「でも営業担当者も生身の人間ですよね。病気をすることもあれば、事故に遭うこともある。辞めてしまうようなこともありますよね。そういう場合はどうされていますか？」

「ウーーーム」

「顧客第一」とか「顧客満足を実現する」といった理念を掲げていただくのはよいのですが、それが空念仏になっていては困るわけです。「顧客が一番大切だ」と言いながら、その大切な人の情報を生身の人間の頭の中や個人の手帳やパソコンの中にしまい込んでいるようでは、とても顧客第一とはいえません。

「顧客を囲い込む」といった物騒な表現を使う会社もありますが、顧客そのものを囲い込んだら犯罪になってしまいますから、実際に囲い込めるのは、顧客の情報でしかありません。顧客の情報を預かり、顧客の考えていることや求めていることを先回りして対応するから、結果として顧客は囲い込まれてくれるのであって、その会社と付き合うのが便利だから他社に浮気しないわけです。

大切にするためには、まずその対象をよく知るということが必要ですね。

Part7

「頭の中の可視化」が社員を成長させ、会社を強くする

本来見えないものを可視化経営の仕組みによって見えるようにする。その第一の対象は、Ｐａｒｔ６で述べた「顧客」です。次に、見えるようにしなければならないのが、社員の頭の中、すなわち思考内容です。外からは見えない頭の中を、いかに可視化するかを本章で考えてみたいと思います。

これをドラッカーは、「21世紀に向けた挑戦である」と捉えていたようです。むずかしいチャレンジですが、21世紀を生きるわれわれは、そこから逃れることはできません。どうせ挑戦しなければならないのであれば、何とかクリアしたいものです。

見えないものを見るためには、やはりＩＴ日報が活躍してくれます。考えていることを書き、その考えたことが蓄積され、他者と共有できるＩＴ日報は、見えないはずの頭の中を少しずつ見えるようにしてくれるのです。

「日報は古くさい」、「日報は面倒だ」、「日報なんか必要ない」などと毛嫌いせず、日報の持つ潜在能力に着目してみてください。

1 工場から人の頭の中に移った付加価値の源泉

工場の「視える化」を進めたトヨタ

20世紀を代表する産業といえば、自動車産業が第一に挙げられます。そして、自動車産業において最も成功を収めた会社がトヨタ自動車といってよいのではないでしょうか。いまや自動車産業の本場、アメリカにおいても高い評価を得て、GMを抜いたと言われています。

トヨタは付加価値の源泉である工場の「視える化」を進め、日々改善を繰り返して最強の会社になりました。付加価値を生む効率を上げ、生産性を高めていくためには、実態が見えなければならなかったのです。

自動車産業だけでなく、産業革命以後、20世紀は工場を持ち、機械を所有する企業が付加価値の源泉を握ってきました。一般の労働者は工場はもちろん、機械すら自分で所有することはできず、工場に働きに行き、そこで機械を使わせてもらわなければなりませんでした。

当時の労働者は、低賃金で長時間重労働をさせられて、資本家から搾取されていたといったイメージを抱く人も少なくありませんが、それは一面的な見方です。痩せた土地で朝から晩まで農作業をしたり、手作業で工芸品を作ったりするよりも、工場で働くほうがお金を稼げ、豊かな暮らしができたのです。

いまの中国を見ていると、それがよくわかります。大都市は工業化して豊かになっていますが、農村地帯では、いまだにかなり貧しい生活を続けている人がいます。そして農村から都市へと人口移動が行われています。その工場労働も、日本と比べたり世界的に見ると低賃金ですが、農村での生活よりはもらえる報酬も大きいのです。

20世紀の付加価値の源泉が工場にあったとすると、21世紀の工場は人間の頭の中にあるといわなければならないでしょう。人間の頭の中にある知識や情報、知恵や創意が付加価値を生み出す源泉となるわけです。

ナレッジワーカーの時代へ

自動車産業も付加価値の源泉は、工場から人間の頭の中へと急速にシフトしています。最新の自動車を動かすためのコンピュータプログラムは、パソコンのOSよりも大きなプログラムになっているそうです。

自動車の基本性能はどこのメーカーでも大きな差がありませんから、デザインなども重要な付加価値源になっています。プログラムもデザインも人間の頭の中で生み出されるものであって、工場は必要ありません。ドラッカー流に言えば、「ナレッジワーカーの時代」になったのです。

ドラッカーは、〝Management Challenges for The 21st Century〟（邦題『明日を支配するもの』上田惇生訳）の中で、次のような指摘をしています。

「肉体労働を行う者は、生産手段を所有しない。経験は豊富かもしれないが、その経験も、そのほとんどの場合、現に彼らが働いている場所においてでなければ価値がない。持ち運びできない。ところが、知識労働者（ナレッジワーカー）は生産手段を所有する。頭の中にしまわれた知識は持ち運びができ、大きな価値を持つ。まさに生産手段を所有するからこそ、彼らの流動性は高い。もちろん、彼らが特定の組織を必要としないわけではない。彼らのほとんどは、組織と共生関係にある」

ナレッジワーカーは自ら生産手段、すなわち工場を頭の中に所有しているのです。この頭の中にある工場の効率を上げ、生産性を高めていくためには、トヨタが工場を「視える化」したのと同様に、可視化していかなければなりません。

しかし工場の内部は見ようと思えば見えるものですから可視化も簡単でした。しかし、頭の中は割ってみることもできませんから、簡単には可視化できません。その見えないものを見えるようにしていくためには、ＩＴ日報による思考の可視化が必要になってくるのです。

2 「行動前に何を考えているか」を見えるようにする

PLANとDOの間にSEEを入れる

「頭の中を可視化したい」といっても、脳細胞を見たいわけではありません。頭の中で行われている思考や本人の認識を見たいわけで、そのための道具がIT日報です。

先に触れたように、日報には考えたことや推察したことも書き込みます。書き込むことによって、考えは目に見えるようになります。それに対して、上司や先輩などからアドバイスが入ったり、激励が入ったりして、より正しい行動がとれるようになります。

さらに、その行動の結果、どうなったかが日報に書き込まれ、それでまた次にどうするのかという考えが書き込まれることで、本人の認識や思考内容がよりはっきりとしてきます。

こうした流れを「PLAN－SEE－DO－SEE（PSDS）サイクル」と呼ぶことにします（次ページの図参照）。仕事の進め方として「PLAN－DO－SEE」とか、「PLAN－DO－CHECK－ACTION」と呼ばれる考え方がありますが、「PSDSサイクル」は「DO（実行）」の前に「SEE」を挟み込んで、アクションに移る前にいったん可視化し

ＰＳＤＳサイクル

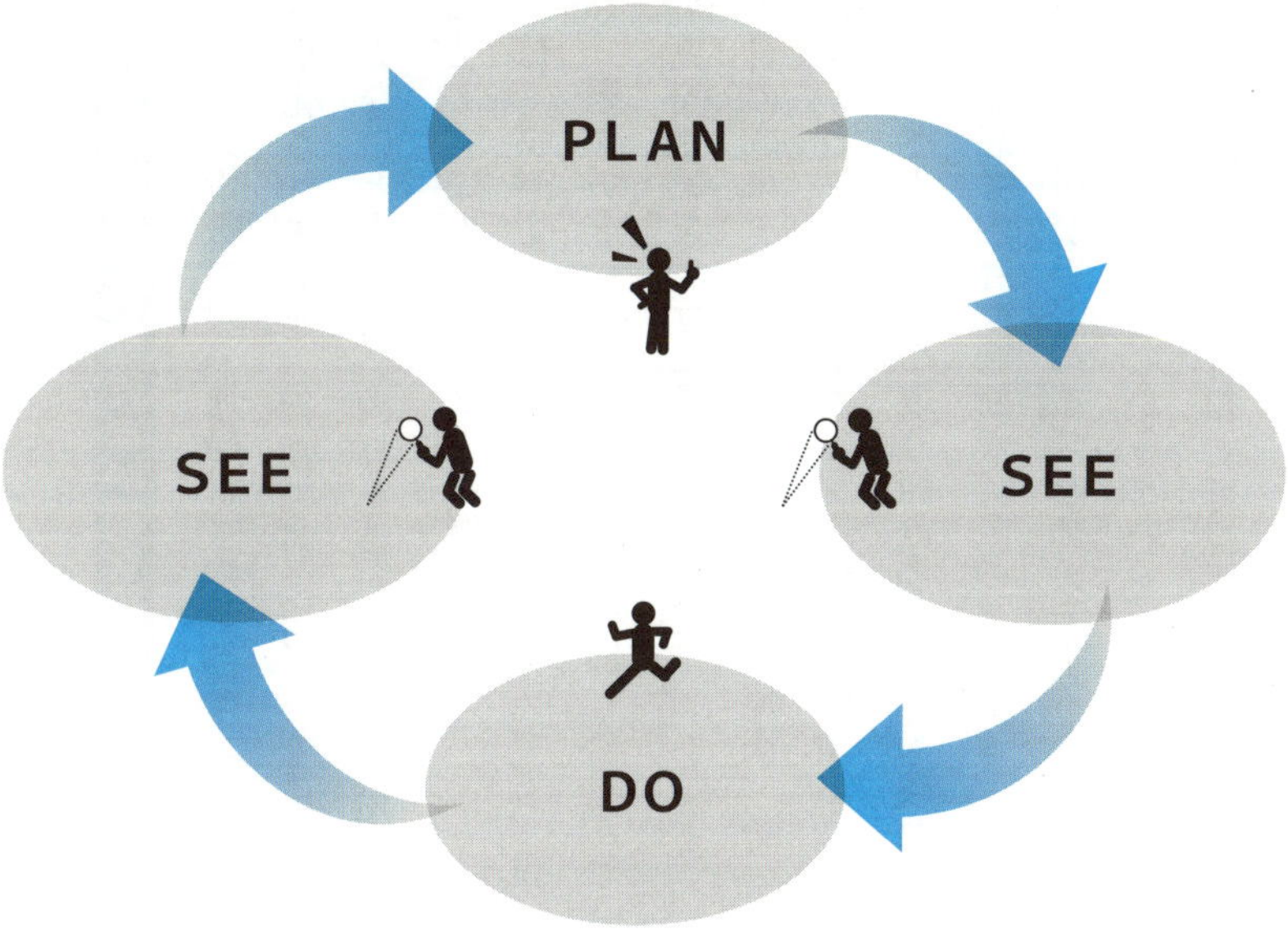

PLAN-DO-SEE から
PLAN-SEE-DO-SEE へ

思考し計画を立て、
実行前にその考えを可視化し、修正する。
実行した結果をまた可視化し
予実差異を次の計画に活かす！

て吟味し、実行の精度を上げようというものです。

日報には考えないと書けない欄を設ける

日報が「報告書」や「連絡書」のレベル（141ページの図参照）であれば、行動内容やその結果は可視化されますが、行動の前にある思考については可視化されません。そこで、日報には、考えないと書けない内容を書かせる欄を用意する必要があります。先に述べた「次回予定」などはまさにそうした欄です。

例えば、プロジェクトの進捗状況についても、単純に「60％」とか「80％」と書かせるだけでなく、それが予定どおりなのか、前倒しで進んでいるのか、遅延しているのか、といった本人の判断を加えて書かせるようにします。

その日の成果・成功点、問題点やその原因、その対策などを書き込ませるようにするのもよいでしょう。ここには本人の認識や考えが如実に現れてきます。その書きっぷりには、仕事に対するモチベーションや取り組み姿勢なども現れてきます。

こうした思考内容や判断が実際のアクション前に可視化されれば、本人も振り返って再認識できたり、上司がアドバイスを加えるようなことも可能になり、行動の精度が上がります。

しかし精度が上がったからといって、すべてがうまくいくわけではありませんから、その結果についてはまたＩＴ日報で可視化し、次にどうするかというＰＬＡＮにつなげていきます。当然、ＰＳＤＳサイクルは日々回転していくことになりますから、企業行動のスピードを上げ、現場の情報を全社に伝える日報神経のスピードも速くなります。

「考え」が見えれば、有効な指導ができる

トヨタの工場でさえ、日々改善が必要なように、どんなに優秀な人材であっても日々改善し、日々成長がなければなりません。部下を日々成長させるためには、部下の思考を可視化して、指導し育成していかなければなりません。

上司が部下を指導するときに、つい目に見える行動やその結果に対して、あれこれ言ってしまいがちです。「なんだこの数字は！」とか「そんなやり方じゃダメだ！」といった指摘です。しかし、これは注意を喚起してはいますが、指導育成にはなっていません。部下を指導し育成するためには、行動に移る前に考えていることを聞いてやり、その考えを修正してやる必要があります。

例えば、問題行動があった場合も、いきなり怒鳴りつけたりするのではなく、まず「どういう考えで、このような行動をとったのか」と本人に聞く必要があるわけです。そこで問題行動を引き起こした考え違い、認識違いを指摘してやることが、二度と問題行動を起こさないために必要な指導なのです。

いま流行のコーチングにおいても、上司が押し付けの指導をするのではなく、まず本人の考えを聞いてやることが基本になっています。本人の考えをつかまずに、一方的に指導しようとしても、それは本人にとって〝お説教〟でしかありません。

ところが、上司も忙しいものですから、いちいち本人の考えなど聞くこともなく、目に見える行動や結果から類推して、「お前はこういう考えでやっているんだろう。だからダメなんだ！」とやってしまうわけです。

そのとき本人が、「そんな考えをしているわけないだろ」と受け取ったら、どんなに熱心に説教しても上司の話は右の耳から左の耳へ抜けていってしまいます。「この上司は俺のことも理解せずに説教ばかりする」とでも思っているでしょう。たとえ、上司の指摘が正しくて、本人の認識が間違っていたとしても、です。

ＩＴ日報で「先考管理」をする

だから、まず本人の考えを聞いておく必要があるのです。しかしその時間がなかなかとれないという管理者の事情もよくわかります。そこで、ＩＴ日報に考えを書かせるのです。

こうすれば、よけいな時間を使わず、部下の考えをつかんで、適切な指導が可能になるのです。考えの段階で指導するわけですから、そこからよい行動を生み、それがよい結果を生みます（次ページの図参照）。これを「先考管理」と呼びます。「先行」ではなく「先考」です。

部下が行動報告、結果報告だけをしてくると、上司も「ご苦労さん」くらいしか言えませんが、「今日は○○という状況だったので、次はこうしようと思います」と考えを示してくれると、上司は格段にアドバイスがしやすくなります。「だったら、あの資料を持っていったほうがいいぞ」とか「それなら来月だと遅いから今月中にはやっておこう」といった自分の経験知

考えを指導する

◉目に見えない考え（次回予定、推察、目的等）を指導しなければ、部下の行動やその結果は変わらない！

◉考えをつかむためには、考えを日報に書かせることが必要！

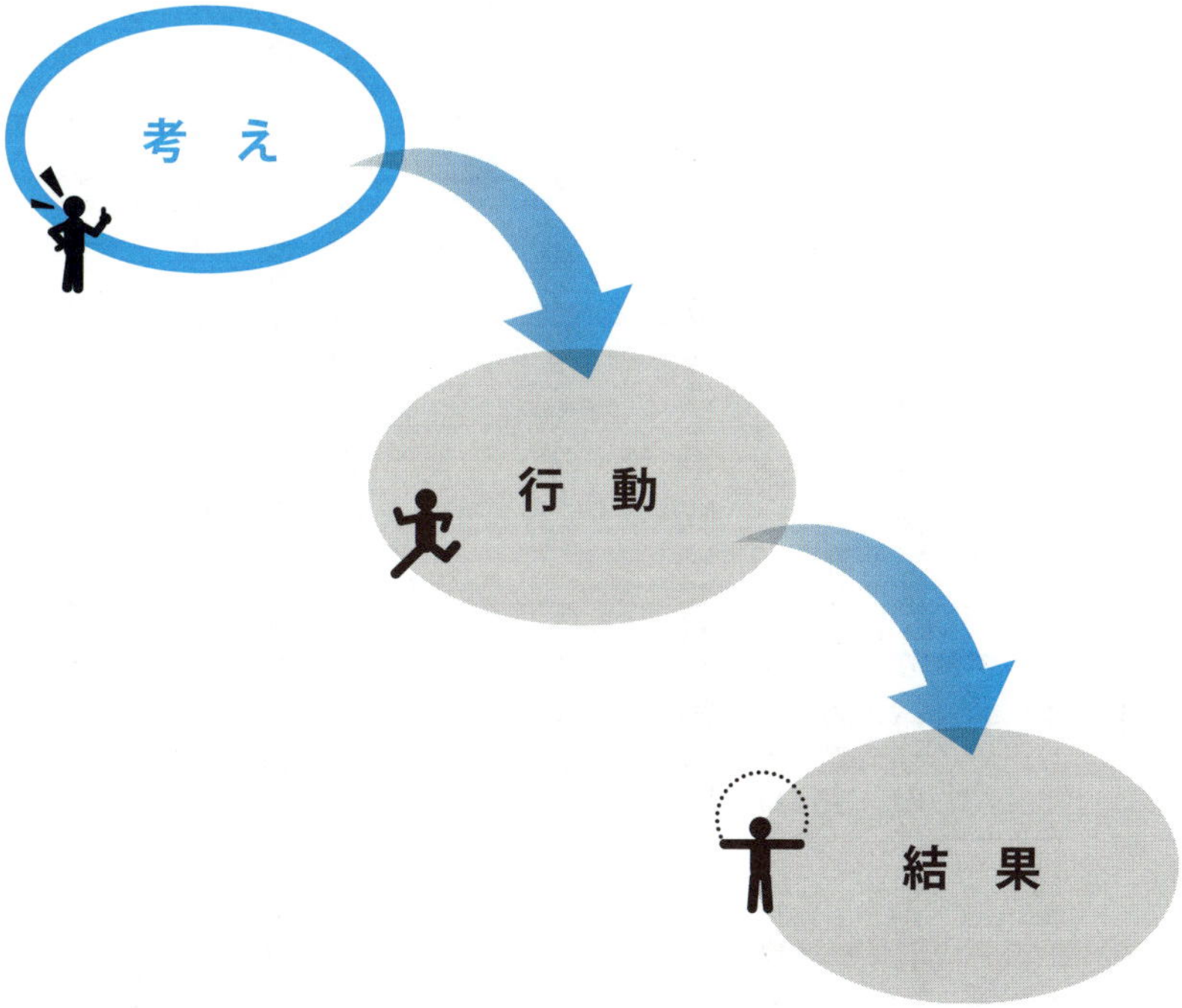

を活かした話ができます。

現場のニュアンスや微妙な感覚を一番つかんでいる部下本人が考えたことをベースにして、上司や同僚が一緒になって次の手を考えるのです。このようにして考えたことをＩＴ日報に蓄積していくと、後でそのときの考えが正しかったかどうかも振り返ることができます。

もちろん、読み違い、勘違い、思い違いなどもありますが、そうしたことも振り返って反省することで、思考力、判断力、対人感受性、状況把握力が鍛えられていくのです。

勝つ準備もしていないのに戦ってはいけない

大切なことは「先に考える」ということです。後からとやかく言っても何も生まれません。どうせ考えるなら先に考えろということです。

孫子の兵法は、「勝兵《しょうへい》は先ず《ま》勝ちて而《しか》る後《のち》に戦い、敗兵《はいへい》は先ず戦いて而る後に勝《かち》を求《もと》む」と教えてくれています。勝つほうの軍隊は、先に勝ってから後で戦い、負けるほうは、先に戦いを始めておいてから、後になってどうやったら勝てるかと考えているというのです。

普通は戦ってから勝ち負けが決まるわけですから、先に勝って後で戦うというのはおかしいですね。戦ってみなければわからない、やってみなければわからない、と言いたいところです。しかし、そうではないと孫子は言うのです。戦う前に、勝つためのストーリーを描き、必要な段取りをして、これなら勝てるというイメージができてから戦うべきだと。

逆にいえば、勝てるストーリーも描けていないし、勝つための準備も整っていないのに戦ってはならないということになります。われわれの仕事の仕方においても同じことがいえます。よい仕事をする人は、事前に仕事のストーリーが描けているものです。

優秀な営業担当者は、「あのお客様は○○だから、あの準備をして、こういう話をしよう。そうすると、お客様はきっとこんなことを言ってくるだろうから、そのときはあの話をして、最後は○○という話でクロージングだな」といった感じで、商談のストーリーが描けています。だから必要な資料も準備できるし、商談時間も見当がついていますから、予想外に時間がかかって、後のスケジュールに食い込むようなこともありません。

社内で何か業務を行う場合も、よい仕事、生産性の高い仕事をする人は、「この仕事は○○だから、この手順で進めていけば、だいたい○時間くらいで終わるだろう」と全体のイメージができて、アウトプットすべきものが明確になっているものです。

頭の中の工場の生産性を上げるためにも事前の段取りが必要です。しかし部下全員がきちんと段取りできるわけではありませんから、段取りの具合を可視化して、事前に修正をしておくことが必要になってきます。

当然これは事前でなければなりません。事後に思考を可視化したのでは価値が低くなってしまいます。事前に可視化してこそ、付加価値を高めていくことができるのです。そう考えると、「PLAN－DO－SEE」ではダメで、「PLAN－SEE－DO－SEE」でなければならないことがおわかりだと思います。

3
日々蓄積されるナレッジが会社を強くする

ナレッジの蓄積が「生きた業務マニュアル」をつくる

これまで述べてきた一連の思考の可視化、上司の知恵を部下に転移させるアドバイスなどがＩＴ日報上で行われていることによって、日々社内にナレッジが蓄積されることになります。どういう業務で、どのような状況のときに、どのように考えて、どう準備し、どう動いたら、その結果どうなったのか、という生々しい事例が日々蓄積されていくわけです。

これが口頭や紙で処理されていたら、その場限りのことで終わってしまって、会社にナレッジが蓄積されることはありません。目に見えない各人の頭の中に消えていくだけです。

何でもＩＴを活用すればよいということではありませんが、口頭や紙ベースのやり取りだけでは非常にもったいないのです。せっかく1人1台のパソコンがあって、各人が携帯電話も持って歩いているのですから、ＩＴでの情報伝達を行っておけば、それがそのまま蓄積・保存され、再利用される「生きた業務マニュアル」になるのです。

この「生きた業務マニュアル」は、単に何をすべきかという行動項目が書かれただけのマニュアルではありません。その行動に至る思考パターン、思考経緯まで書き込まれた思考マニュアルでもあり、知恵や創意が盛り込まれた、まさに〝ナレッジ集〟となるのです。

なぜ、ナレッジマネジメントがうまくいかないのか

ホワイトカラーの生産性を上げたいと考える会社の多くが、「ナレッジマネジメント」なるものに取り組んでいますが、私が知るかぎり、うまくいっている企業は多くありません。

その理由は簡単です。ナレッジマネジメントシステムとして情報の検索ツールや情報を蓄積するデータベースを用意しても、そこに社員がナレッジを蓄積しないからです。蓄積しても単なる結果情報や行動内容でしかなく、とても「ナレッジ」と呼べるような情報ではないからです。

なかには、無理矢理、情報を登録させ、業務マニュアルのようなものを作成している会社もありますが、多くの場合、後付けのきれいに飾られたものになってしまって、生々しさに欠け、あまり活用されていません。

後からきれいに書かれたマニュアルには、うまくいったことしか書かれません。途中の苦労話や悩んでいた話は、わざわざ後輩を悩ませる必要はない、苦労したことを書いても笑われるだけだと思って盛り込まれないのです。じつはこうした経験が、会社にとって重要なナレッジになるにもかかわらず、です。

ＩＴ日報には現実的な経験知が蓄積される

ＩＴ日報は、日々の繰り返しですから、きれいに書いている余裕はありません。問題やトラブル、悩みや苦労なども飾られることなく書き込まれます。これが後になって役に立つのです。同様の業務を行おうとしている人が読んで参考になるのは、生々しい現実的な経験知なのです。

なかには大して参考にならない経験知もあるでしょう。もちろん失敗した経験も含まれることになります。しかし、そこはＩＴ。ゴミ情報があっても場所はとりません。必要なものだけ検索して引っ張り出せばよいのです。

後で参考になるかならないか、業務分類に当てはまるか当てはまらないか、なんてことをいちいち考えながら入力するのではなく、とにかく情報を蓄積していくのです。あらかじめ想定していない情報がそこに入力されるからこそ、想定外の新しい動きや変化をキャッチすることもできるのです。

このナレッジ蓄積の仕組みを持った会社は、日々工場の改善を繰り返し、その改善マニュアルを改訂して保存している会社ですから、強い会社になることは間違いありません。こうした組織力があるからこそ、自分で生産手段を持っているナレッジワーカーがその会社に魅力を感じ、そこで一緒に仕事をすることを選択するのです。自分が１人で勝手に仕事をするだけなら、その組織に属する価値がないのです。工場は自分の頭の中にあるのですから。

4
部門の壁を越えて広がる社員同士の相互理解と相互信頼

社内の親睦イベントでは仕事上の相互信頼は生まれない

ＩＴ日報によって業務内容だけでなく、それに対する担当者の思考内容まで可視化されると、全社員の相互理解が加速していくことになります。当然これは部門間の壁を越えて進んでいくことになります。

業務遂行における相互理解とは、お互いの人となりを理解することだけでなく、その仕事ぶり、仕事の出来・不出来、能力の高低、過去の実績を知ることでなければなりません。

例えば、いくつかの拠点に分かれている会社で、全社員が集まる泊まりがけ親睦イベントがあって、そこで別の拠点の人間と朝まで飲み明かしたとしましょう。

その人間とはそれまで電話で何度か話をしたことはありましたが、初対面であり、相手のことは名前しか知りませんでした。それがその全社イベントでたまたま同室だったことから打ち解けて、結局朝まであれこれ話をしながら飲みつづけたわけです。

「いい奴だな」とお互いのことを評価し、「また会おう」と言ってイベントを終えたとします。これで確かに社内の親睦は深められたかもしれません。この2人が今度、何か用があって会ったときには、会話がスムーズに進むでしょう。また全社イベントがあったら、「おう、久しぶり」と旧交を温めるかもしれません。

しかしそうした関係で終わってしまえば、仕事上の相互信頼は生まれないのです。

社員同士の仕事上の信頼関係を築くために

仕事上の相互信頼を生むためには、その人の仕事の内容や成果を知らなければなりません。どういう仕事をしているのかはもちろんのこと、どんな考えで仕事に取り組んでいるのか、そこでどんな結果を出し、それをどう考えているのかといったことです。

ＩＴ日報にはそうしたことが書き込まれています。それによって、「この仕事が彼の得意分野だな」とか、「この業務の彼のパフォーマンスは高いな」ということがわかって、相手への仕事上の信頼を醸成することになるのです。

また、人として気に入らない、好きになれない相手であったとしても、「あいつは好きになれないけど、この仕事は得意みたいだな」と仕事上の相互信頼を生むこともできるのです。

ですから、先ほどの全社イベントの例でも、ＩＴ日報があれば、自分の拠点に戻って、「彼は○○の仕事でいつも成果を上げているな」とか、「彼は○○業務が得意みたいだな」と相互理解と相互信頼が、仕事上で醸成されることになったでしょうし、イベントの前にお互いの仕事ぶりに日を通しておけば、イベントで会ったときに「いつも日報で見ているよ。○○で活躍していね」といった会話もできたことでしょう。

一般的な人と人との信頼関係と、仕事上での信頼関係は違うことをよく理解してください。

社員間の相互信頼がナレッジ・コラボレーションを生む

相互信頼ができれば相互作用を生むことになります。相互信頼というのは、全人格的な全幅の信頼である必要はありません。限定的なものでよいのです。「〇〇の仕事はまだあまり経験がないみたいだけど、このレベルまでなら任せても大丈夫そうだな」というものでも「このレベルまで」は信頼しているわけで、「このレベルまで」の相互作用を生むことになります。

相互理解が進み、相互信頼が生まれると、相互作用が始まります。「あなたはこの仕事が得意そうだから、ちょっと協力してもらえないか」と始まった相互作用がうまくいくと、次はさらに強い相互信頼ができることになります。

そうするうちに、「もっとこうしたほうがよくなる」、「いや、別の方法でやったほうがいいだろう」、「こういう新しい方法もあるぞ」といったやり取りが続いていくようになります。

私はこうしたやり取りのことを「ナレッジ・コラボレーション」と呼んでいます。お互いのナレッジ（知恵）をやり取り（コラボレーション）することで、新しいナレッジを創出していく活動という意味です。

相互理解、相互信頼、相互作用は、ＩＴ日報がうまく活用されている会社では必ず起こってくる組織作用です。全社が可視化されると自然にこうしたやり取りが活発になっていきます。

社員の頭脳をつなぐネットワーク

これは見方を変えると、各人が持っている頭脳という工場をつないで工場ネットワークをつくっていると考えることができます。確かに各人が生産手段を持ち、自分の頭脳を工場として付加価値を生むことができる時代になりました。しかし、その工場は小さくて、1人でできることには限りがあります。得意分野は限られているのです。

頭の中の工場は現実の工場のように、お金さえ出せば大きくできるというものではありません。より幅広い、より高度なことをやろうと思えば、小さな頭脳工場をつないでいくしかないのです。

自動車産業における協力会社、下請構造のような感じですが、親会社はありません。全部が町工場レベルですが、それぞれが得意分野を持っていて、規模は大きくないけれども質の高い仕事をしています。それらがネットワークをつくって、全体として大きな成果を生む仕事をしているとイメージしてもらうとよいでしょう。

これからの企業経営は、そうしたネットワーク構造になっていくことになります。そのネットワークはＩＴでつなげばできるというものではなく、そこに相互理解、相互信頼、相互作用がなければならないのです。

その基本が可視化です。見えないものは理解もできないし、信頼もできません。信頼していない相手とコラボレーションしようとする人はいません。

「信頼とは好き嫌いではない」

ここでもドラッカーに登場願うと、前出の〝Management Challenges for The 21st Century〟の中で、彼は次のような指摘をしています。

「成果を上げる秘訣の第一は、共に働く人たち、自らの仕事に不可欠な人たちを理解し、その強み、仕事の仕方、価値観を活用することである。仕事とは、仕事の論理だけでなく、共に働く人たちの仕事ぶりに依存するからである。

組織における摩擦のほとんどは、互いに相手の仕事、仕事の仕方、重視していること、目指していることを知らないことに起因している。その原因は、互いに聞きもせず、知らされもしていないからである。

知識労働者たる者はすべて、部下、同僚、チームのメンバーに、自らの強みや仕事の仕方を知ってもらう必要がある。

組織は、もはや権力によっては成立しない。信頼によって成立する。信頼とは好き嫌いではない。信じ合うことである。そのためには、互いに理解していなければならない」

特に、「信頼とは好き嫌いではない」という指摘は重要なことだと思います。ついついわれわれは、複数人で仕事をしようとすると、好き嫌いで判断し、気心の知れた人とネットワークをつくりたくなってしまいますが、それではダメなのです。仕事上、業務上の信頼関係と、人としての信頼関係をごちゃ混ぜにしないところにポイントがあるように思います。

5

社員が自ら進んで仕事に取り組む組織へ

頭の中は監視できず強制もできない

頭の中の工場の生産性を上げていこうとしたときにむずかしいのは、頭の中の仕事は監視もできないし強制もできないということです。

ナレッジワーカーがパソコンの前に座って「うーん」と腕組みをしている姿を見ても、仕事のことを考えているのか、仕事を終えて遊びに行くことを考えているのかは、外からはまったくわかりません。そして、仕事のことを考えるように強制することもできません。

営業担当者も同様です。客先に訪問させることはできても、そこでどれだけ顧客に対して思い入れを持って、知恵を出してアプローチするかについては強制できません。無理矢理電話をかけさせることはできても、アポイントをとるための工夫を強制することはできません。

あくまで、本人の自発性に任せるしかないのです。本人が進んで仕事に取り組むようになるのを待つしかないのです。

戦略、マネジメント、現場の可視化が自発的な組織に変える

社員の自発性を促すためには、まず会社の理念やビジョン、目的に対して共感、共鳴してもらわなくてはなりません。共感、共鳴がなければ自ら進んで仕事に取り組むことはありません。収入を得るための手段と割り切ってしまえば、極力手を抜いて楽をして給料をたくさんもらいたいと考えるようになるでしょう。

次に、社員には会社の戦略を理解し、納得してもらわなければなりません。どこへ向かって進めばよいのかもわからずに自発的に動かれても、無駄な動きになったり、かえって組織の足を引っぱったりします。

こうした点をクリアするのが、Ｐａｒｔ３で述べた「戦略の可視化」です。ビジョンマップや戦略マップはそのために作成するのです。

給料をもらうために仕方なくやっているのではなく、自分の仕事として取り組んでいると思えれば、強制されなくてもアイデアや知恵を出そうとするのです。

とはいえ、頑張ったことに対して評価してほしいと思うのも自然な感情です。後で評価してもらえると思うからこそ、頑張って仕事に取り組むということもあります。ここを明らかにするのが、Ｐａｒｔ４で述べた「マネジメントの可視化」です。

自分の業務の進み具合や達成度がフィードバックされるから、自分でペース配分を考えたり、やり方を工夫したりすることができるのです。正しく評価され、公平公正に扱われると思

うからこそ、目の前の仕事に没頭できるのです。

評価基準を明らかにし、それを定期的に本人にフィードバックしてあげることは、仕事を強制するためではなく、本人に仕事をコントロールする自由を与えてあげるためのものです。評価によって押さえ込むのではなく、評価を与えることによって本人が自発的に仕事への取り組みを変えることができる機会を与えているのです。

そのベースになるのが、Ｐａｒｔ５で述べたＩＴ日報による「現場の可視化」です。日々の仕事内容、頑張りを可視化して、方向修正したり、スピード調整したり、やり方を変えるアドバイスやナレッジが供給されるからこそ、組織に属している価値を感じ、自らの仕事を可視化する意味を理解し納得することができるのです。

そうでなければ、ＩＴ日報も単なる強制された道具になってしまい、無理矢理入力させることはできても、ロクな内容を書かないことになってしまいます。

社員の頭の中をフル稼動させる経営の仕組み

頭の中の工場を動かすためには、知識や情報、知恵やナレッジという原材料と、やる気や熱意や自主性といった潤滑油が必要です。どんなに知識や情報や知恵を持った人材であっても、それを自発的に活用しようとしなければ、付加価値の源泉とはなり得ません。

可視化経営は、社員全員の頭の中にある動力源（エンジン・モーター）を回転させ、工場をフル稼動させる仕組みなのです。そのエンジンがスイッチを入れれば黙って動く機械ならよいのですが、心で動く機械なものですから、動かすためには少し工夫が必要なのです。しかしこの頭の中のエンジンは、動きはじめれば燃料も電気も必要なく、ガンガン回ってくれる高性能の新型エンジンでもあるのです。

頭の中を可視化するのは、このエンジンを高速で回転させ、工場を効率よく稼動させるためにどうしても必要なことなのです。

Column

ドラッカーの『明日を支配するもの』

ドラッカーは『明日を支配するもの』の中で、可視化経営を実現する多くの示唆を与えてくれています。以下の指摘も、ぜひ参考にしてください。

- 「知識労働者の生産性こそ、明日を支配するうえでの最大の経営上の挑戦である。とくに先進国にとっては、彼らの生産性が先進国としての地位の鍵となる。彼らの生産性を向上させることなくして、今日の生活、今日のリーダーとしての地位を保ち、今日の生活水準を維持することはもとより、先進国であり続けることはできない」
- 「知識労働者にとっては、情報こそ主たる武器である。情報が彼らを共に働く人たちに結びつけ、組織に結びつけ、ネットワークを可能とする。言い換えるならば、情報のおかげで、知識労働者は仕事ができる」
- 「データを情報に変える者は、知識労働者本人しかあり得ない。意味ある行動のために、それらの情報を体系化できる者も、一人ひとりの知識労働者しかあり得ない。

  仕事に必要な情報を手にするためには、次の二つの視点から取り組む必要がある。

  (1)共に働く者や部下に対し、提供すべき情報は何か。それはいかなる形で提供すべきか。いつまでに提供すべきか。

  (2)自分が必要とすべき情報は何か。それは誰からか。いかなる形でか。いつまでにか。

  もちろん、この二つの視点はお互いに密接な関係にある。しかし、完全に違う種類の問題である。しかも、自分が何を提供するかが最初である。そこからコミュニケーションが可能となるからである。コミュニケーションが成立しなければ、情報は入ってこない」
- 「変化と継続の調和のためには、情報への不断の取り組みが不可欠である。信頼性の欠如や不足ほど、継続性を損い、関係を傷つけるものはない。したがってあらゆる組織が、いかなる変化についても、誰に知らせるべきかを考えることを当然としなければならない。このことは、協力して働くべき者が、つねに隣に座り、顔を合わせるとは限らなくなっていく状況のなかにあって、ますます重要になっていく。別々の場所で、情報機器を通じて働く時代にあっては、全員が必要な情報のすべてを知っていることが必要である」

Part8

可視化経営を実現する組織条件

これまで、可視化経営の必要性や可視化経営を実現していくための進め方について解説してきました。可視化経営とは、戦略の地図を描き、進むべき道筋を決め、企業行動の実体を可視化することで、経営者から現場の一社員までがセルフマネジメントできるようにする自律協調型の組織運営手法であり、「仮説→検証スパイラル」を高速回転させるスピード経営を実現するものです。

すでに示した手順を踏み、情報システムを準備すれば形は整いますが、日々それを実践していくためには、適切な組織風土、企業文化、共有する価値観が土台になければなりません。可視化経営は、単なる仕組みづくりではなく、企業を変えていく全社運動でもあるのです。

最終章では、可視化経営を実現するための4つの組織条件と、それを支える「全個一如《ぜんこいちにょ》」と「自己発働」という考え方について解説しておきたいと思います。

そして最後に、社員株主や顧客株主をつくる疑似株主公開についても簡単に触れ、可視化経営の発展形についての足がかりを提示します。

1 可視化経営のベースになる4つの組織条件

組織条件1 情報は隠さずフルオープン

可視化経営を実現する組織の第1条件は、「開放系」ということです。開放系とは、内と外が閉ざされておらず、物質やエネルギー、情報などの交換が行われるシステムのことです。

私はこれを「隠さずフルオープン」と説明しています。つまり、個々の社員は自分の情報を隠して仕舞い込まず、各部署、各拠点も特別な社外秘情報を除いて、原則オープンにします。

「そうはいっても、隠さなければならないことがある」、「何でもオープンにしたら問題が起こる」と、抵抗感もあるでしょう。しかし、隠そうと思っても隠せないのが現実ではないでしょうか。隠せているつもりが実は隠せていなかったというのが、一番のリスクとなります。

実際に、経営者がオープンにしたくないと思っている業務を行っている社員もいるわけです。かつてのように、会社が社員の一生を面倒見て、社員もめったに辞めないような組織であれば、「黙っておけ」と口封じもできたでしょう。しかし人材の流動化は当たり前になり、まさに開放系になってしまっています。隠そうと思っても隠せない。そうであれば、いっそフルオープンを原則とし、そのうえでどうするかということに知恵を絞ったほうがよいのです。

もちろん、無用な情報のオープン化がよくない面もあるでしょう。例えば人事情報などは、全社員の給与を公開したり、評価をオープンにしたりする必要はありません。そうした人間の嫉妬や蔑みを生み、必要以上に他者比較をさせるような情報まで開示すべきではないと考えます。また、例えばコーラやフライドチキンなど、秘伝のレシピなどもオープンにする必要はないでしょう。しかし、それ以外の情報は原則として隠さずフルオープンにします。隠さずフルオープンにできないものは、そこに公正さ、公平さがあるか充分に吟味すべきでしょう。

「情報をオープンにする」ということは、オープンに情報を提供するだけでなく、オープンに情報を受け容れることでもあります。「他人のことは知らない」、「他部署のことは関係ない」という姿勢ではなく、広く関心を持ち、情報をキャッチするアンテナを掲げていなければなりません。

このように、組織が「隠さずフルオープン」の状態になり、外部とエネルギーや情報の交換が行われると、組織内に〝揺らぎ〟が生じ、非平衡状態になります。きちっと型にはまらず、バランスが崩れ、衝突や摩擦も起きてきます。

変化の少ない安定した時代には、こうした組織の状態はよくないことのように感じたものです。しかし、これからの激動の時代に新しいものを生み出していくには、多少バランスが崩れ、〝揺らぎ〟があることが必要なのです。決められたことを決められたとおりに行うことも大切ですが、それだけでは困るのです。

組織条件2 矛盾や摩擦、衝突も受け容れる

開放系の〝揺らぎ〟の中、非平衡のバランスを崩した状態では、プラスの相互作用（コラボレーション）だけでなく、矛盾や摩擦や衝突も生じます。

企業組織は必ず分業体制になっていますから、部門が違い、職種が違い、階層が違えば、利害が反し、一方によければ他方に悪く、一方の都合で進めれば他方にマイナスが生まれるという関係になります。こうした矛盾や摩擦や衝突までも受け容れて、コラボレーションを歓迎、さらに促進していこうという企業の風土が醸成されなければなりません。

それをただ、「和を以て尊しとなす」とばかりに円く治めることばかりを優先していては、その会社からは〝妥協の産物〟しか生まれてこなくなってしまいます。

時に喧嘩しそうになるくらいの思い入れと情熱を持ってこそ、その相互作用から新しい価値が生まれるのであり、コラボレーションの創発性を高めるものになるのです。「もっとこうするべきではないか」、「いや別の方法をとるべきだ」という侃々諤々《かんかんがくがく》の議論が歓迎されず、「ルールだから」、「規程があるから」、「他の部署のことは関係ないから」と過去の延長線上にのみ答えを求める風土がはびこっていては、これからの時代の変化に対応できません。

これからの時代には、「これが正解だ」という明確なものはありません。仮説→検証スパイラルを日々回転させて、正解を生み出していく土台は、矛盾や摩擦や衝突を乗り越えコラボレーションすることを歓迎する組織風土なのです。

組織条件3　自己中心的な行動にブレーキがかけられる

可視化経営を実現する3つ目の組織条件は、「自律協調」です。個々の社員の行動や思考は強制的なものではなく、自律的でなければなりません。自ら進んで取り組み、動いてこそ、頭を使うし、知恵も出てくるのです。受身ではなく能動的に動くからこそ、コラボレーションも活性化し、組織全体のパフォーマンスが高まります。

しかし同時に、協調的でもなければなりません。自律的な行動が自己中心的な勝手な振る舞いになっては、せっかくの自律行動も活かされません。他者との関係性を理解し、1人でできることには限りがあり、他者の協力を得てこそ大きな価値を生むことができるという認識が不可欠です。

どんなに優れた人材であっても、1人の能力、1人の知識、1人の情報、1人のアイデアには限界があります。何しろ1日は24時間しかありません。どんなに頑張っても1日24時間以上のことはできないのです。したがって他者との協調、協働によって自分の持つ価値を増幅し、1人ではできないことを組織で成し遂げようとする意識がなければなりません。

この自律協調を実現するための基本的な考え方が、後で詳しく説明する「全個一如《ぜんこいちにょ》」と「自己発働」です。全社員が、この「全個一如」と「自己発働」を理解し納得すれば、組織内に自律協調の風土が醸成され、他者との関係性や全体最適を考えながら、自らの持ち味を最大限に活かすという行動特徴が現れるようになります。

組織条件4 各人に自由を与えつつ、活動状況はガラス張りに

内部統制の徹底やコンプライアンス、企業の社会的責任などが声高に叫ばれるなかで、いくら各社員の自律性や創意を尊ぶといっても、何でも好き勝手にやってよいというわけにはいきません。そこには何らかの秩序があり、相互牽制機能が働いている必要があります。

「相互牽制」というと、常に社員同士が見張っているような、がんじがらめの管理をイメージしてしまいます。それでは、とても各人の創意や工夫が活かされる組織ではありませんから、私は、お天道様が天から見守っている「お天道様秩序」と呼んでいます。

キリスト教徒なら「イエス様が見ているぞ」でもいいかもしれませんし、仏教徒なら「仏様が見ている」でもいいかもしれませんが、日本的には八百万の神ですから、「お天道様が見ている」ということになるだろうと思います。

人間は誰しも弱い存在ですから、誰も見ていないと思えば、結構悪いこともできてしまいます。少なくともダラーッとして気が緩むことになるでしょう。やはり一定の秩序を保つには、誰かが見ている、という意識が欠かせません。自宅では髪はボサボサで、寝ぼけ眼で、下着姿でダラダラしている人も、外出して公衆の面前に出ると思えば、服を着て、寝癖を直して、顔を洗うでしょう。

逆に言えば、外ではパリッとした身なりで、几帳面に仕事をこなしている人でも、誰も見ていない自宅ではダラッとくだけてしまうわけです。それが人間であり、ごく当たり前の姿でし

ょう。

そうであれば、仕事においても誰かが見ているという状態が必要なのであり、誰も見ていない、何をやっても他人にはわからないという状態に置かれれば、つい魔がさして不正を働いてしまう可能性は否定できません。

だからコンプライアンスや内部統制がいわれるわけですが、そのときに多くの企業が手順を定め、やるべきことをすべて文書化、マニュアル化するポジティブリスト（50ページ参照）による業務遂行を進めています。

これはある程度必要なことですが、やるべきことを決めるポジティブリストがあると、どうしても個人の創意や工夫が阻害されることになり、決まったことしかしようとしなくなる弊害が必ず生じてきます。これでは時代の変化に対応できません。

そこで、どうしてもやってはいけないこと、法令違反など、ネガティブリストを明確にし、後は原則自由とします。個人の裁量の余地をつくってあげるわけです。

しかし時代は変化しており、現場では何が起こるかわかりませんから、日々の活動状況は可視化し、オープンにします。ガラス張りにするわけです。何かあれば、ネガティブな情報でも必ず、即座にオープンにしてくれるからこそ、その本人に裁量を与えることができるわけです。

これが「お天道様秩序」のイメージです。各個人をルールで縛りつけ監視する秩序ではなく、各個人に自由を与え、自律的に動ける領域を確保するための秩序なのです。

我が子を見守るように部下を見守る

「お天道様秩序」ということについて、社員個々人の個性を活かし、能力を引き出すという観点から少し補足したいと思います。ここが、可視化経営を絵空事やあるべき論で終わらせず、実際に日々運用していくための非常に重要なポイントとなります。

相互牽制やその土台となるＩＴ日報を活用した隠さずフルオープンの開放系組織について説明すると、多くの人が社員の管理強化、部下への締め付けであるとネガティブな受け止め方をします。

いまだに社員の手や足を動かしさえすればよいと考えて、部下の管理強化にばかり関心を持つ古い考えの人がいることも事実ですが、相互牽制やそのためのＩＴ日報は、部下を管理し監視するためのものではなく、部下の頑張りや苦労を見守るためのものです。

中国の『戦国策』に「士は己を知る者の為に死す」という逸話（243ページ・コラム参照）が残されているように、人は自分のことを認めてくれ、評価してくれる人のために働きたいと思うものです。逆に、どんなに頑張っていても、どんなに苦労していても、それを認めてもらえない、評価してもらえないというのは大変辛いことです。

日々現場で頑張っている社員、日々現場で人知れず問題に立ち向かっている社員は、日頃の努力や苦労を認めてほしい、頑張っている自分を知ってほしいと考えているのです。これは人として自然な気持ちですし、当然のことです。

管理してほしいとは思っていませんが、見守ってほしいとは思っているのです。あれこれ細かいことに口出しをし、いちいち説教してほしいと思っている人はいませんが、細かいところで工夫していることは知ってほしいし、目立たないところで頑張っていることは認めてほしいのです。

「勝手がよい」といえばそれまでですが、それが人の心です。心はどこにあるか、頭にあります。心臓あたりのハートに心があると言いたいところですが、残念ながら頭の中の工場に心があるのです。頭の中の工場は心で動くのです。手や足を動かすだけなら、心は別のことを思っていても支障はありませんから、金で人は動いたのです。金で手足を動かすときには、行動管理、サボタージュ監視が有効でしたが、頭の中の工場を動かすためには機能しません。ここを履き違えると、可視化経営が実現しませんのでご注意ください。

孫子の兵法にも、「卒《そつ》を視《み》ること嬰児《えいじ》の如《ごと》し。故《ゆえ》に之《これ》と深谿《しんけい》にも赴《おもむ》く可《べ》し。卒を視ること愛《あい》子《じ》の如し。故に之と倶《とも》に死す可し。」という一節があります。「リーダーが部下を見守る眼差しが赤ちゃんを見るような優しい眼差しだったので、一緒に深い谷底へ突撃してくれた。リーダーが部下を見る目がまるで我が子を見るかのように慈愛に満ちたものだったので、部下はリーダーと共に死ぬことを厭わなかった」という意味です。

人の心はいまも昔も変わりません。可視化経営によって、部下の頑張りを我が子のように見守ることが、人の心を動かす基本なのです。この心なくして、いくら戦略を立て、情報システムを整備したところで、現場はそのように動いてはくれません。

2 全体は個から影響を受け、個は全体から影響を受ける

「全個一如」の関係とは

先述した「全個一如《ぜんこいちにょ》」は、会社と個人との関係を考えるうえで非常に重要な考え方です。「全個一如」とは、全体と個の関係であり、全体とその部分である個が切り離すことのできない一体の関係であることを示しています。

例えば、会社を全体とすると個は社員個々人となります。社員が寄せ集まって会社が形成されており、個々の社員は全体である会社からの影響を受けます。

これを図に表すと、223ページのようになります。全体の中に部分があり、部分の中に全体があるという関係です。

会社は個人が集まってはじめて会社としての実体があることになります。法人登記をしただけで社員もいない会社は、幽霊会社、ダミー会社と呼ばれ、そこに実体があるとは認められません。

会社を部分に分けていくと、最小単位は社員個々人であることがわかります。これ以上の分

割はできません。この個の中には全体としての会社が存在しています。会社の評判が高ければ、この個人の評判も高くなります。反対に会社の評判が悪ければ、この個人の評判も落ちてしまいます。

もちろん、この逆も成り立ちます。個人がよい行為をして高い評価を得れば、その個人が属している全体の会社の評価も高まります。個人が何か不祥事を起こせば、その個人が属している全体の評価が下がってしまいます。

全個一如の関係は一生続く

この全個一如の関係は、個人が会社に属しているときには、「なるほどそうだな」、「言われてみればそういう関係だ」とほとんどの人が認めてくれるのですが、問題は、この全個一如関係が一度できたら二度と消えないということなのです。こうした認識を持っている人は非常に少なく、会社を辞めたら関係ないと思っています。

ある人が、10年間勤めていたA社を辞め、別の会社に転職したとしましょう。新しい会社に移ったばかりのとき、その人はどう呼ばれるでしょうか。「前にA社にいた人」です。

そこで、A社の評判が高ければ、その本人の評判も高くなりますし、A社の評判が悪ければ、「あの会社にいた人で大丈夫なの?」と言われてしまうことになるのです。元いた会社が倒産でもしてしまえば、その人は「倒産したA社にいた人」になってしまいます。辞めたからといって、元の会社との全個一如関係が消えるわけではないことがおわかりいただけたでしょ

「全個一如」の考え方

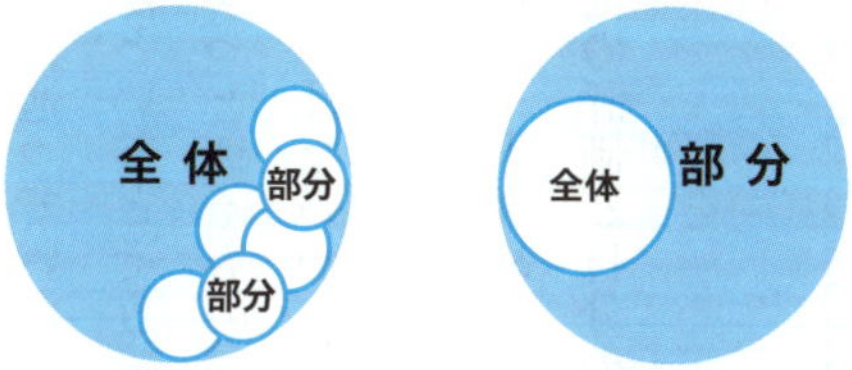

全体の中に部分があり、部分の中に全体がある

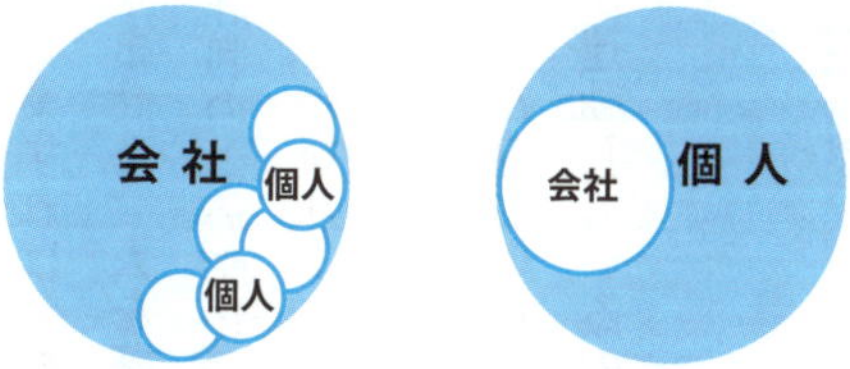

会社と個人は分けることはできない

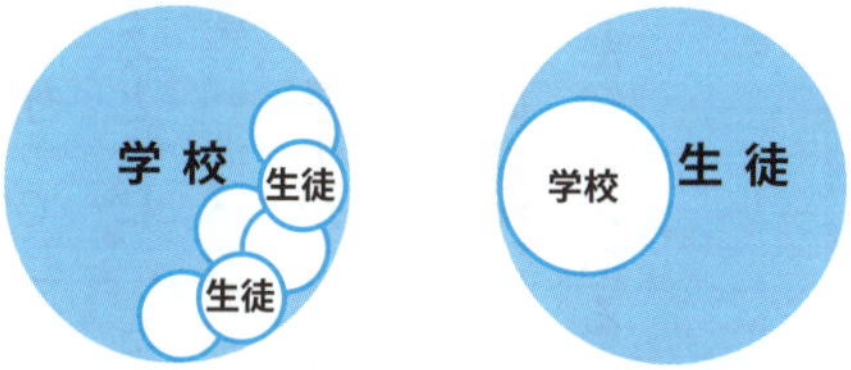

学校と生徒の関係は一生消えない

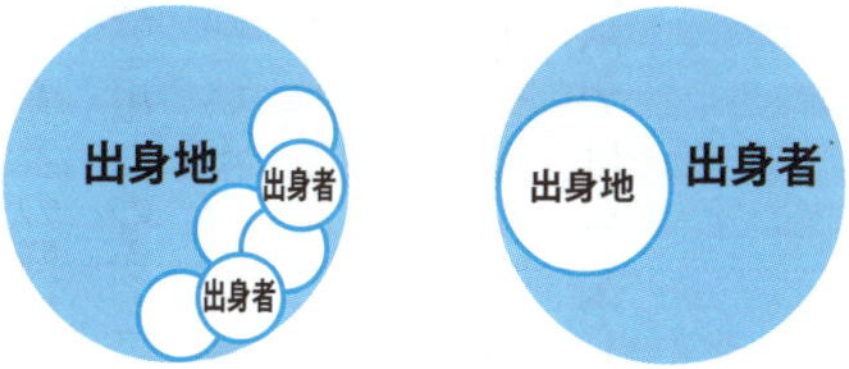

出身地の評価と出身者の評価は連動する

うか。

この全個一如関係は会社と個人との関係だけでなく、例えば学校と生徒という関係でも成り立ちます。その関係が一生消えないということは、こちらのほうがわかりやすいかもしれません。

学校に通っていた生徒は、卒業すれば学校から出て行ってしまいますが、両者の関係が消滅するかというとそうではありません。人を評価をするときに、どこの学校を出たのかという評価はずっと続くものです。評判のよい学校であれば、「彼はあの学校を出ているので、信頼できるのではないか」ということになります。逆に、卒業生がよい仕事をすることで、その出身校の評判が上がるということもあります。

同様に、出身地とその土地の出身者の関係も全個一如の関係です。「ご出身は?」と聞かれ、出身地の評価と自分の評価が連動しているのを感じた経験がある方も多いのではないでしょうか。

全個一如の関係を理解してこそ、自律協調行動が生まれる

こうした全個一如の関係を理解すれば、社員個人が幸福になるためには、その会社をよくしなければならないし、会社の評価を高めるためには、そこで働く社員個々人がよい仕事で高い評価を得なければならないということがわかります。会社をよくすることが自分のためであり、自分が成長することが会社の成長につながるという関係性を理解してこそ、自律協調行動

が生まれるのです。

これがもし、「会社は会社、個人は個人。まったく関係がない」という理解だったらどうでしょう。会社は給料をもらうだけの存在であり、その会社のために自発的に取り組んだりアイデアを出したりする必要などありません。仕事をレベルアップさせるために自宅で本を読んで勉強しようといった発想もまったく出てこないでしょう。決められた時間、決められたことを、なるべく手を抜いてこなせるようにと考えることになってしまいます。

会社の側も、社員を育てようという気持ちはなくなり、給料を払っている分しっかり働けと、サボっていないかどうかをチェックし、行動管理するようになります。

これでは、20世紀型の資本家と労働者の対立構造に逆戻りです。社員個々人が持っている頭の中の工場をフル稼動させることなどできません。手や足を動かすだけでよいなら、安い外国人労働者を使うか海外移転するしかありません。会社にとっても社員個人にとっても、何のプラスにもなりません。

全体と個は対等なのであり、どちらかが相手を支配しようとしても無理なのです。全体は個から影響を受け、個は全体から影響を受けます。その影響をWin-Winのプラス方向に持っていくか、Lose-Loseのマイナス方向に持っていくかは、その会社の経営者、幹部、社員が自分たちで決めることであり、可視化経営は全個一如をプラスの方向に持っていくことで成立するものなのです。

3

社員1人ひとりが1日24時間をセルフコントロールする

自分の時間以外は他人の時間？

1人ひとりに最も平等に与えられた資源。それは1日24時間という時間です。金持ちだから25時間あるということもないし、貧乏人は23時間しかないということもありません。この最も平等に与えられた1日24時間をフル活用しようというのが「自己発働」の考え方です。

工場をフル稼動させるときには、24時間ノンストップで3交代勤務にします。それが一番設備効率がよいからです。21世紀の工場である頭脳もフル稼動させるときには、24時間のすべてを自分の時間として活用したいところですが、多くの人はそれができません。

私が20年近く行っている自己発働研修で、1日24時間の時間の使い方を受講者に質問する場面があるのですが、そこでは円グラフを使って受講者に1日をどう過ごしているかを書かせます。

すると、次ページのようになるわけですが、このとき、残った時間が例えば4時間あったとします。この4時間に名前を付けてもらいます。すると必ずといってよいほど出てくるのが

1日24時間は誰のものか

家で好きなことをしている時間が
「自分の時間」であれば、
それ以外の時間は誰の時間なのか？
人間の脳みそに
ON-Ｏｆｆ切り替えスイッチはなし！

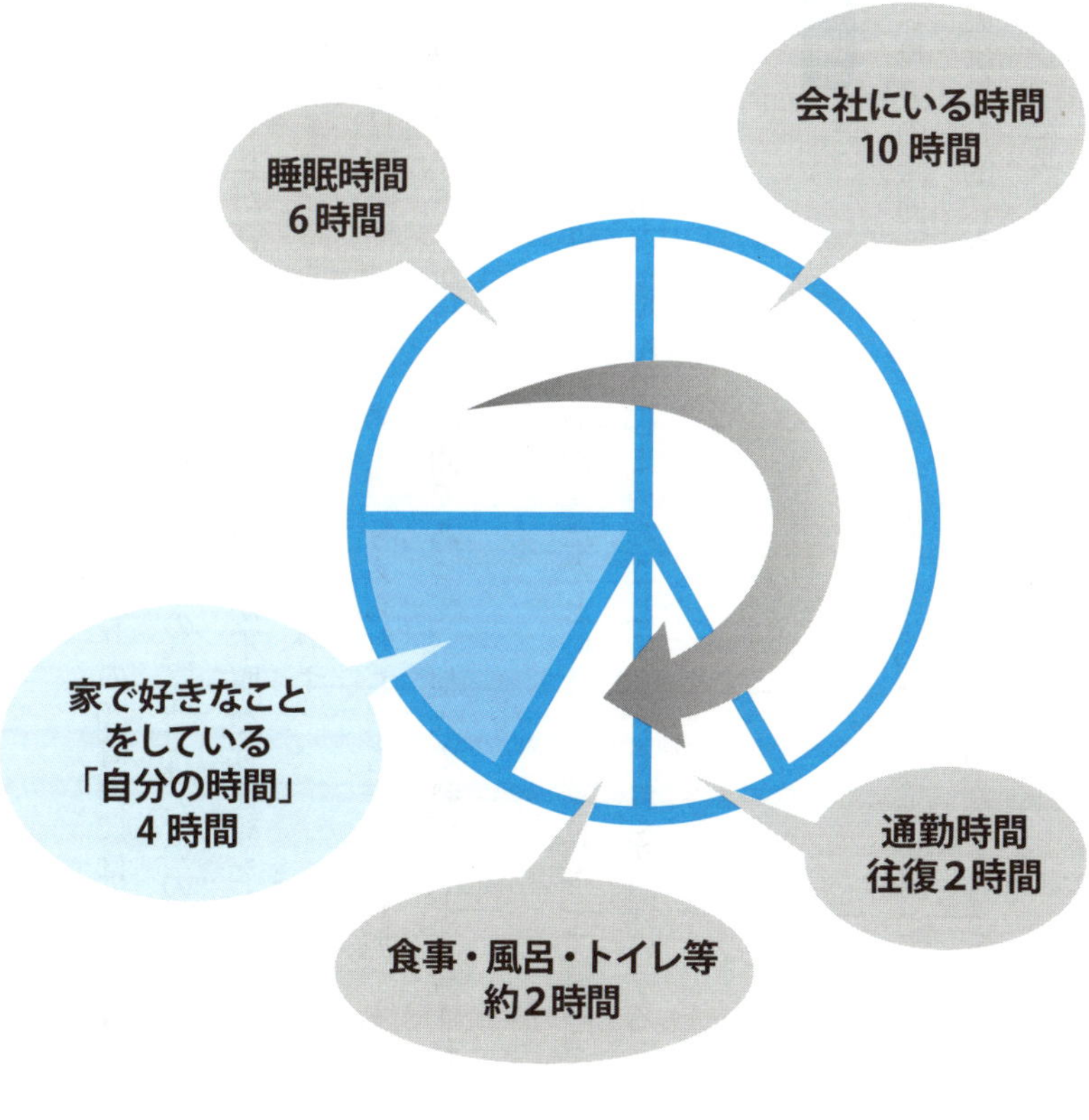

「自分の時間」という答えです。家でテレビを見たり、読書をしたり、自分の好きなことをしている時間だからでしょう。

そこで次に、「自分の時間」と呼ぶことにした4時間以外の、残りの20時間にはどういう名前が付くかを質問します。これはほとんど答えが出ません。「自分の時間ではないので、〝他人の時間〟とでも呼びましょうか？」と私が言うと、多くの受講者が不服そうな顔をします。寝ている時間や自宅で食事をしているような時間も含まれているからです。

そこで大前提の話に戻ります。1日24時間はすべての人に与えられた最も平等な資源であるということです。そもそも1日24時間すべてが自分の時間であって、他人の時間など1分1秒たりとも存在しません。

先ほどの「他人の時間」という変な答えは何がいけなかったかというと、家に帰って好き勝手なことをしている4時間を「自分の時間」と呼んでしまったことです。それを前提にすると「他人の時間」という変な答えが出てきてしまうのです。

1日24時間はすべて自分の時間

ここで問題は、多くの人が「自分の時間」を限定して考えてしまっているということです。この「自分の時間」という言葉は日常的にもよく使われます。「最近は仕事が忙しくて、なかなか自分の時間がとれない」といった具合です。ここに問題があります。

ですから、「他人の時間」と言われて唯一違和感がないのが、会社で仕事をしている時間です。この時間のことを「拘束時間」と呼ぶ人もいるほどです。しかしこれは、産業革命から20世紀まで続いた古い考え方であり、間違っています。会社で働いている時間も「自分の時間」であり、自分の選択によってその会社で仕事をしているのです。イヤなら辞める権利すらあります。拘束などされていません。奴隷でもないし、借金のカタに年季奉公しているわけでもないでしょう。

1日24時間はすべて自分の時間であり、それを分けることはできません。よく、「ONとOffを分ける」といった言い方がされますが、人間の脳みそにON－Offスイッチなどありません。ずっとONなのです。

家に帰って家族団らんを楽しんでいるときに、ふと仕事のことを思い出すと、「仕事人間になってしまった。まずいことだ」と言うのに、仕事中にふと家族のことを考えたときには平気な顔をしているのは明らかに矛盾があります。

しかし人間の脳はそんなものなのです。仕事中にプライベートのことを思い出すこともあるし、家に帰って家族と一緒にいたり、彼女や彼氏とデートをしていても仕事のことを思い出すこともあるのです。これが自然なのです。

この自然な状態に逆らって、仕事の時間、プライベートな時間を無理して分けようとするから、最近「うつ」状態の人が増えてきているのではないかと感じます。

20世紀型の仕事で、手や足を動かすことがメインであった時代には、肉体的に疲れますから、労働時間に制限を設け、過度な負荷をかけないようにする必要がありました。仕事中は機械の一部となって身体を動かすわけですから、気を抜くこともできません。そこで終業すると、パッと心を入れ替えて「自分の時間」でリフレッシュです。この切り換えはわかりやすいし、必要なことだったのだろうと思います。

しかし、頭を使う仕事が増え、そちらに重点がシフトしていくと、工場や店舗に拘束される必要はなく、いつでもどこでも仕事ができるようになってきたわけです。自分の頭の中に工場があるわけですから、いつでも動かせます。会社のデスクにいるから頭が働いて、自宅のリビングでゆっくりしているから頭が働かないということはありません。かえって、風呂に入っていたりトイレに入っているとアイデアを思い付くという人もいるくらいですから。

求められる時間のセルフコントロール

このブルーカラーからホワイトカラーへのシフトに心理的についていけない人がいるのでしょう。工場であれば、ラインがストップすれば仕事をしたくても仕事はできません。会社が時間をコントロールしてくれて、１日にメリハリを与えてくれていたのです。旧来の工場から頭の中の工場へ付加価値のシフトが起こるなかで、働く人にセルフコントロールが求められるようになってきました。

そして、この10年の変化です。インターネットが登場し、携帯電話が普及したことによって、本当にいつでもどこでもオフィスにいるのと同じように仕事ができる環境になってきました。ナレッジワーカーの時代に突入したのです。

自宅でゆっくりしていても頭の中の工場が動くのは間違いありませんが、以前は、自宅で仕事をしようと思えば、そのために必要な書類や資料を自宅に持ち帰っておかなければなりませんでした。だから家でやっていることはちょっとしたアイデアをメモしておく程度です。結局は会社に出て、そこで主に仕事をしていたわけです。

ところがいまは、パソコンさえあれば、オフィスと同じ環境で仕事ができます。個人宅にも光ファイバーが通っている時代です。ちょっと仕事のアイデアを思い付いたら、パソコンを立ち上げ、データを呼び出してそこで仕事ができてしまいます。「ユビキタス社会」なんていう言葉まで出てきて、外出していても携帯電話や無線ＬＡＮでネットワークにつながっています。

いつでもどこでも必要な情報が手に入り、情報の伝達や発信が可能な時代。これを便利だなと思えば、プラスに活かしていけますが、仕事がイヤで、拘束されていると思っている人にとっては辛い環境でしょう。これまでは会社が時間を制限してくれて、会社と自宅の物理的距離がメリハリをつけてくれていたのに、ここ10年のネットワーク化によって自分で自分の24時間をコントロールしなければならなくなったのです。

それなら、携帯電話もパソコンも持たずにいればよいではないかという考え方もあるでしょうし、それを選択できる人はそうすればよいと思いますが、実際にはビジネスは競争であって、他社がネットワークを駆使してスピード経営をしているのに、こちらが「業務は定時で終了です。月曜から金曜の9時から17時しかつながりません」では通用しないことが多いでしょう。最近では海外へのアウトソーシングを行って、時差を利用して24時間フル対応のサービスを提供することも珍しくありません。

顧客とメールのやり取りをするのも当たり前になり、メールであれば少なくとも24時間以内には返事をしたいところです。24時間では遅いくらいかもしれません。携帯電話も、ほんの10数年前まではなかったのに、いまでは手放せない人が多いのではないでしょうか。

携帯電話でのメールのやり取りはここ数年のことです。競合他社が携帯電話を使ってリアルタイムでコミュニケーションをとっているのに、自社だけ、自分だけ携帯電話は使わないというのも、そう簡単なことではないでしょう。さらに技術革新は日々進んでいきますから、今後はもっと便利にいつでもどこでもつながるようになっていくはずです。

"活私奉公"の発想へ

ビジネスから離れて山の中で自給自足の生活をするといった人生の選択をしないかぎり、こうした時代の変化に抵抗することはむずかしいでしょう。であれば、1日24時間を自分のものとして、前向きにセルフコントロールして活用していくしかありません。これが「自己発働」です。仕事を時間で分けて、時間数で評価する時代ではないのです。仕事とプライベートのバランスは自分が決めて、成果で仕事を評価するしかありません。

いまだに労働法制が20世紀型で、時間管理を基本にしているために、不具合が生じているのですが、実態はすでに21世紀型に移っています。実態は21世紀型なのに、自分の価値観が20世紀型のままで仕事を避けようとすると、うつ病かどうかはわかりませんが、うっ屈した精神状態になるのもやむを得ないことかもしれません。

この1日24時間をセルフコントロールするときの土台になる考え方が、前述の「全個一如」です。会社の仕事は自分の仕事であり、自分がよい仕事をすることが会社のためになる〝活私奉公〟の発想です。

「なんで会社のために自宅に帰ってまで仕事をしなければならないのか」という滅私奉公の発想のままだと辛いだけです。自宅で仕事のアイデアを思い付いたのであれば、忘れないうちにやっておくのが自分のためなのです。

反対に、「会社で給料を払っているのだから、仕事中はつべこべ言わずに働け」という発想も通用しません。プライベートで気に掛かることがあれば、頭の中の工場はフル稼動してくれません。机についてパソコンに向かわせておくことはできても、頭を使わせることはできないのです。本人がその気にならないと付加価値の高い仕事はできません。社員個人を活かしてこそ会社の発展成長があるのです。

個人を犠牲にして会社が発展し続けることもありませんし、会社が疲弊しているのに個人だけが幸福になることもありません。個人がイキイキと24時間を過ごし、そうした個人が集まることによって、その会社全体がイキイキと前向きな組織になって成果を生んでいくことができるのです。

4

社員株主をつくって経営を可視化する疑似株式公開

社員株主化がモチベーションをアップさせる

上場企業においては、社内はもちろん、社外に向けた可視化経営も半ば強制的に進めなければならないテーマです。内部統制やコンプライアンス、社会的責任を厳しく追及されると同時に、社外への説明責任を要求されるからです。

では、未上場の中堅・中小企業はどうでしょうか。私は、上場を選択しない企業にもぜひ、上場企業に準ずる可視化をめざしてもらいたいと考えています。このことは、これからの人口減少で人材不足が予想されることからも必要なことです。中小のオーナー経営だから、経営は閉鎖的でよいというわけにはいきません。これからは閉鎖系のブラックボックス会社には、若くて優秀な人材が集まらなくなるでしょう。

そこで、お勧めしたいのが、社員を株主にする疑似株式公開です。これは現在問題になっている中小企業の後継者不足の解決策にもなりますし、社員個々人の頭の中の工場を動かさなければならない、これからの経営のあるべき姿を実現するよい方法だと思います。

社員が株主にもなれば、「会社は誰のものか」などという無駄な議論をする必要もなくなります。自分たちの会社になるのです。「全個一如」の考え方を、理念としてだけでなく実際の仕組みとして実現することができるのです。これは社員のモチベーションアップに非常に有効です。

株式上場はめざさなくても、社員株主会社をめざすというのは、一般の中小企業にはよい目標になるでしょうし、社員の将来ビジョンも描きやすくなることでしょう。

株式上場は東証マザーズやナスダック・ジャパン（現・大証ヘラクレス）が登場してハードルが下がり、中小企業、ベンチャー企業にも直接金融の道が拡がったように思いましたが、現在は、その後の新興市場の不祥事続きで、ハードルは上がってしまいました。

内部統制のための費用や監査法人の監査報酬なども高くなって、よほど革新的な技術があってそれを活かすために資金需要があるか、知名度アップや人材採用などのメリットがないかぎり、割の合わないものになったように感じます。それよりも、経営の自由度を残しつつ、全社員が一体となって経営に取り組む社員株主化を進めたほうが、より多くの企業にメリットがあると思います。

上場でも同族経営でもない中小企業の第三の道を

中小企業のオーナー経営も大きな時代の変化によって、修正を余儀なくされています。今や、後継者がいない中小企業が珍しくありません。息子さんがいても継ごうとしないケースが増えています。高学歴で優秀な息子さんであればあるほど、大企業に就職が決まり、厳しい家業を継ぐよりも、よほど安定した生活ができるわけです。

人口が増え、マーケットが拡大していたときには、企業経営は過去の延長で頑張っていればうまくいきましたが、これからは経営に対して思い入れや熱意がなければ存続もむずかしいでしょう。

私は、二代目、三代目の後継者で、非常に苦労している人を何人も見てきました。たいして適性もなく、その事業への思い入れもないのに、「親父がつくった会社だから……」と事業承継してみても、古参の社員は使いづらいし、朝から晩まで頑張っても大して儲からないし、となると可哀想なものです。

そしてもっと可哀想なのが、そんな後継社長の下で働く社員の皆さんです。先代社長の息子だからということで、若くて経験もないのに、いきなり自分たちの上に現れて、社長面して偉そうなことを言われても納得できないこともあるでしょうし、事業に思い入れのないような人が社長になったのでは、将来への不安もあるでしょう。

中小企業だから、同族のオーナー経営で仕方がないと考えず、上場でもない、オーナー一族の同族経営でもない、第三の道を模索してほしいと思います。

社員株主の仕組みづくり

上場をめざしている企業であれば、証券会社が事務手続きをしてくれる従業員持ち株会やストックオプションによって、社員を株主にしていくことができます。従来からある方法ですね。

上場はめざさないのですから、どうするか。普通株式を持たせる方法も悪くはありませんが、会社法が改正されて自由度が増した種類株式を活用するとよいでしょう。譲渡制限するのは当然として、取得条項付株式を発行するのがよいと思います。死亡時や退職時に会社側が買い取る権利を設定しておく株式です。

社員に株式を持たせる場合に、一番厄介なのが株の分散ですから、そこを食い止める制限条項を入れておけばよいことになります。これを普通株式でやっていると、退職時にもめたりすることもありますし、途中で気が変わって、上場をめざそうとしたときなどにも株主が管理できずに困ることになります。

オーナーの経営権を完全に維持したい場合には、議決権制限株式を発行する手もあります。この場合には配当優先とセットにして議決権はないけれども配当は優先して受け取れるといった条件にするわけですが、社員の経営参画を促すという面からは、議決権を制限してしまっては本末転倒な感じではあります。もちろん、社員株主に配当という形で利益還元をする正式なルートを確立することになるメリットはあります。

次に、上場はしないわけですから、時価がつきませんので、売買時の株価算定の方法を決めておく必要があります。これは業歴が長くて含み益の多い企業を除いて、純資産法でよいと思います。純資産の価値で株価が決まるのがわかりやすいですし、日々の経営努力の成果が直結しやすい評価方法です。

類似業種比準法などで算定すると、自社とは関係なく変動する要因を抱え込むことになりますので、自社の努力で決まる純資産法がよいでしょう。実際に取引が発生するときには、税務上の問題があってはいけませんので、税理士さんに相談してチェックはしてもらったほうがよいと思います。

そして社員株主に対して業績開示を行います。できれば、上場企業レベルの四半期開示がやりたいところです。これが可視化経営のレベルアップにもなります。日々の経営状況が把握されているわけですから、きちんとやれば四半期開示もむずかしいことではありません。

そして決算終了後は、きちんと株主総会を開きます。株主総会という名の全社集会ですね。当然配当を出しますが、配当性向をあらかじめ決めておくとよいでしょう。配当性向とは、税引後の純利益の内の何％を配当するかという比率です。30％くらいが適当ではないかと思いますが、それぞれの企業の事情に応じて決めておけばよいでしょう。

ここがお手盛りにならないように、あらかじめ比率を決めておくことが重要です。社長ならびにオーナー一族の持ち株比率が高いうちは、配当性向は低めに設定したほうがよいかもしれません。

株主になることで社員が経営者の意識に

こうした社員株主の仕組みをつくれば、毎年毎年、よい経営をして利益を出せば、配当による還元もあり、純資産が増えれば株価も上がっていくことになります。上場していませんから、相場変動で乱高下することはありません。

もちろん、経営がうまくいかず業績が落ちれば、配当は減り、株価も下がることがあり得ます。これも可視化経営です。会社は全員のものであり、全員が経営を行っているのです。

可視化経営を実践し、経営に自信がついたら、社員株主を増やして、より社員と一体化した経営をめざしてみてください。社員の意識が変われば、経営が変わりますし、その中には将来の後継者もいるかもしれません。

社長の息子さんが、特に頭がよいとか特別な才能があるというわけでもないのに、経営者が務まるのは、やはりその気になっているからです。社長を継ぐしかないと思うからこそ経営に関心を持ち、経営の勉強もして、経営者になれるのです。

それと同じことが社員にも起こるのです。全員ではないにせよ、経営を自分たちがやるしかない、自分たちにその権限が与えられると思えば、その気になっていくものです。その中でリーダーシップを発揮する人も出てきて、経営者にふさわしい成長をしていくものです。

このようにして、徐々に株式の承継を進めていくことは、オーナーの相続対策にもなり、一石二鳥、三鳥の効果が期待できる方法です。ただし、6ヵ月以内に50名以上の株主を募集したり、1億円以上の調達をするような場合には有価証券届出書を財務局に提出する必要があったりしますから、ご注意ください。

可視化経営が定着し、社員株主への業績開示も適切に行えるようになったら、顧客を株主にする利益循環経営をめざしてみるのもよいでしょう。上場企業であれば、株主優待で顧客を株主にする政策をとればよいですね。

顧客を株主にする利益循環経営

未上場の場合は、前述のように疑似株式公開にしなければなりませんので、種類株式を活用します。対顧客の場合には、株主側が会社に株式の取得を請求できる取得請求権付株式がよいでしょう。社員株主の場合とは逆の権利を持った株式です。社員株主の場合は、死亡時や退職時に、会社側が株式を買い取る権利を持った取得条項付株式を活用しました。

しかしこれを対顧客に使うのは、ちょっと失礼ですね。顧客に株式を持ってもらうのに、こちらの都合で買い取るというのは都合がよすぎます。逆に、顧客には自社（発行会社）を見限る権利がありますから、顧客株主側の都合で買い取りを請求できる権利を与えるわけです。

当然この場合も、50名を超えたりして規模が大きくなると話がややこしくなるので、個人客を相手にした会社の場合は、上場でもしないと大掛かりにはできませんが、対法人の企業であれば、主要顧客に株主になってもらい、経営内容を可視化して、生み出した利益の一部を還元する仕組みをつくるのは、顧客との関係を強化するために有効な方法です。

これまでも、付き合いの深い取引先に、株式を持ってもらうことは珍しくありませんでしたが、ほとんどがただ持ってもらっているというだけで、充分な業績開示や利益還元なども行われていなかったように思います。

上場をめざしているような場合に、未上場の株価の低い時点で持ってもらい、上場して上場益で利益還元するというケースがほとんどでしょう。しかし、先に触れたように、必ずしも株式上場がよいことではありませんし、上場しようと思っても審査もあるわけで、こちらの都合のよいようにはいきません。

したがって上場はめざさないけれども、可視化経営を徹底し、経営のレベルを上げ、業績を確実に上げていくことを前提に、顧客に株主になってもらうのです。これによって、顧客に対して、どれだけ儲かっているのか、どういう経営をしているのかまで可視化して経営を行っていくことになります。

いくら利益を得ているのかを隠しながら、顧客の目をごまかして利益を抜いていくような経営では、とても真似ができません。社外への可視化まで考えると、こうした姿になります。これで顧客から信用、信頼を得る企業は、まさに顧客をつかんで逃がさない磐石な経営が可能になります。

可視化経営がめざすべき姿

顧客にどれだけ儲かっているか、どれだけ利益が出ているかを見せるのは無理だと思われる会社もあるでしょう。しかし上場企業はそうしているわけです。どれだけの原価で、どれだけの経費で、どれだけの利益を出しているのか、すべて開示した上で商売をしています。それも競合企業も含め広く世間に開示しています。できないことはないのです。不可能ではないのです。その気になればできるのです。

株主優待や配当の還元ができれば、顧客からいただいた売上が、必要な原価や経費を差し引いて、また顧客の許へ戻っていくことになります。顧客の立場に立ったらどうでしょう。どうせ買うならその会社から買おうと思うでしょうし、まさにその会社の部分オーナーでもあるわけで、愛着すら持ってもらえるかもしれません。

ヘタなポイントカードを発行して、そのポイントを他社で使われてしまうかもしれないような顧客優待策を講じるくらいなら、顧客株主をつくって利益循環経営を実現したほうが、よほど安定した顧客を獲得できるでしょう。

これは上場企業であっても、未上場企業であっても可能なことであり、可視化経営を実践する以上、めざしたい姿です。

Column

「士は己を知る者の為に死す」

『戦国策』は、戦国時代の遊説の士の言説、国策、献策、その他の逸話を前漢の学者、劉向《りゅうきょう》（前77年一前6）が編纂整理し、33篇486章にまとめたものです。

もとは「国策」、「国事」、「事語」、「短長」、「長書」、「修書」など、バラバラの書物として存在していたものを、国別、年代順に整理し、重複を削って『戦国策』としました。ちなみに、「戦国時代」というのはこの書から名付けられたものです。

この『戦国策』の中に、

士為知己者死
女為悦己者容

士は己を知る者の為に死し、女《じょ》は己を悦《よろこ》ぶ者の為に容《かたちづく》る。

という有名な一節があります。

豫譲《よじょう》という人の言葉なのですが、どんなエピソードがあったかを簡単にご紹介しましょう。

豫譲は、はじめ中行氏《ちゅうこうし》に仕えていたものの認められず、知伯《ちはく》に仕えました。知伯は、豫譲を国士として認め、高く用いたといいます。ところが知伯が死んだときに跡継ぎがいなかったため、その土地を分け与えられた趙襄子《ちょうじょうし》が、もともと知伯を怨んでいて、その頭蓋骨で酒器をつくったのです。

それに憤慨した豫譲は、山中に逃れ、「国士たる男子は己のことを知ってくれる人のために命を捧げ、女子は己を愛してくれる人のために化粧を整えるものだ」と復讐を誓ったというわけです。

豫譲はその後、趙襄子を殺す機会を執拗に狙ったものの、最後には失敗して自ら果てたのですが、趙襄子に「なぜ中行氏に仕えていたときには仇討ちをしたりしなかったのに、知伯に対しては忠義を尽くして復讐しようとするのか」と聞かれた際に、こう答えています。

「中行氏は私を並みの人間として処遇したので、私は並みの人間として報いました。しかし知伯は、私を国士として処遇してくれましたから、私も国士としてそれに報いるのです」

やはり人は認められ、評価されてこそ、それに応えようと思うものなのですね。昔もいまも人の心は変わっていないようです。

おわりに

本書でご紹介した可視化経営システムを通じて、毎日、日本企業の経営状況、営業実態をモニタリングしている私は、企業経営が非常にむずかしくなってきていることを実感しています。

北海道から沖縄まで、私共のコンサルタントが私の目や耳となって各地の企業を訪問し、さまざまな情報を伝えてくれるのですが、「前途洋々」という話はめったにありません。

特に地方では、すでに人口減少が進んでおり、マーケット縮小と人材不足はボディーブローのように企業経営を痛めつけています。これが一時的なことなら、じっと我慢して嵐が過ぎるのを待てばよいのですが、ずっと続く長期的な問題ですから立ち向かっていくしかありません。

そこで必要になるのが本書でご紹介した可視化経営です。先が見えなければ見えるようにし、「前途洋々」たる未来を描かなければなりません。簡単なことではありませんが、それができなければ企業は存続できません。すぐに正解は見つからないかもしれませんが、座して死を待つわけにもいきません。まずは動いてみていただきたいと思います。

見えれば必ず気付きがあります。まずは見えるようにするべきです。気付けば自然に動きが出ます。動けば何かしら変化が起こりますから、その変化をまた見えるようにします。日々そうした意識を持って経営に取り組めば必ず進むべき道が見えてくるはずです。見えなかったものも見えてくるようになります。それが可視化経営です。

可視化経営は、20年間のコンサルティング活動の中で見てきた多くの企業実態と、２０００社のＩＴ日報導入先で見た現場実態と、毎日全社員のＩＴ日報を読んで自社の経営実態を見ている経営者としての実体験から生まれたものです。私が考え出したというよりも、これまで出会った多くの企業でいただいた気付きによってでき上がったものです。この場を借りて御礼申し上げます。

本書は、そうして得た気付きをより多くの方にお伝えするために書きました。お世話になった方をすべて挙げることはできませんので、お三方だけ。

実務教育出版編集部の島田哲司氏には、紙の日報の時代からずっとお世話になり、今回はまた編集段階で多くの示唆をいただいて、私の元の原稿よりもかなり読みやすいものにしていただきました。ありがとうございます。

私の前著『可視化経営』の共著者である本道純一氏は、私の会社の専務ですが、彼との出会いがあってバランス・スコアカードの利点を取り込むことができ、可視化経営というコンセプトが完成しました。最近は彼と「マップで会話する」ことができるようになりました。嬉しいことです。

バランス・スコアカードといえば、吉川武男先生から本場仕込のノウハウをお聞きすることができて、食わず嫌いをしていた私もバランス・スコアカード研究を楽しく進めることができました。引き続きご指導をお願いします。

理論、理屈だけでなく、自分でも実践し、自社で試してよいと思ったものだけをご提案する、というのが私のコンサルティングの基本姿勢です。自分がやったこともないのに、「こうすればよい」、「こうするべきだ」と断言できるほど頭がよくないだけなのかもしれませんが、どこかから持ってきただけの空理空論コンサルティングを、経営実務者でもある私は許せないのです。

もちろん可視化経営も実践ノウハウであり、実地検証済みのコンセプトです。せっかく本書をお読みいただいた方には、「百見は一行にしかず」の精神でぜひ実行してみていただきたいと思います。

先の見えない時代を共に乗り切っていきましょう。

長尾一洋

参考文献

- **『バランス・スコアカード——新しい経営指標による企業変革』**
  ロバート・S・キャプラン、デビッド・P・ノートン　吉川武男（訳）　生産性出版
- **『可視化経営——経営のコクピットを機能強化せよ』**
  長尾一洋、本道純一　中央経済社
- **『明日を支配するもの』**
  P・F・ドラッカー　上田惇生（訳）　ダイヤモンド社
- **『創発型組織モデルの構築』**
  唐沢昌敬　慶應義塾大学出版会
- **『戦国策』**
  近藤光男　講談社

著者紹介
長尾一洋（ながお　かずひろ）
横浜市立大学商学部経営学科卒業。経営コンサルティング会社にて各種コンサルティングを経験し、課長職を経て独立。平成3年、NIコンサルティング設立。同社代表取締役就任。20年に及ぶコンサルティング活動の中で上場企業から社員数名の中小企業まで、2000社の企業体質強化、営業革新、人材育成等に取り組む。
【著書】『IT日報で営業チームを強くする』『頑張っても売れない時代の営業システムづくり107のポイント』『会社を強くするアウトソーシングの進め方』（実務教育出版）、『可視化経営』『必勝の営業術55のポイント』『営業支援・顧客維持システム』（中央経済社）、『幸福な営業マン』（ダイヤモンド社）、『リンクソーシング』（ぎょうせい）など。
【連絡先】（株）NIコンサルティング
本社　東京都港区港南1-8-27
TEL　0120-019-316
URL　http://www.ni-consul.co.jp/

すべての「見える化」で会社は変わる

2008年 2月10日　初版第1刷発行
2008年11月20日　初版第3刷発行

著　者 —— 長尾一洋
発行者 —— 池澤徹也
発行所 —— 株式会社 実務教育出版
東京都新宿区大京町25番地　〒163-8671
電話　03-3355-1951（販売）　03-3355-1812（編集）
振替　00160-0-78270
組　版 —— 有限会社ムーブ
印刷・製本 —— 日本制作センター

ISBN978-4-7889-0753-9 C0034